披文入情

高中现代文解读举隅

曹刚 著

上海辞书出版社

谨以此书

献给我的老师徐沂凯先生

目录

小说

诗歌

剧本

散文

报告文学

议论文

事理类说明文

小说

生死两难　束手无策

——解读《祝福》

《祝福》是鲁迅创作的短篇小说。这篇小说可以分为五个部分：第一部分是从开头到“至此也联成一片了”，写“我”归乡后的所见所闻；第二部分从“她不是鲁镇人”到“于是祥林嫂事件便告终结，不久也就忘却了”，写“祥林嫂事件”的全过程；第三部分从“只有四婶”到“四婶也就不再提起祥林嫂”，写祥林嫂的“好运”；第四部分从“但有一年的秋季”到“那我可不知道”，写祥林嫂又到鲁镇做女工的经历；第五部分是最后一段，写“我”所见的鲁镇除夕的祝福。

小说的叙述者是“我”。“我”回想了祥林嫂悲苦的一生，疑虑自己对祥林嫂的死委实该负若干责任。为什么“我”“从白天以至初夜的疑虑”，最终“全给祝福的空气一扫而空了”？这可以成为解读这篇小说的核心问题。解决这个核心问题的下位问题具体如下：

1. 叙述者“我”是一个怎样的人？“我”为什么说出第一个“无论如何，我明天决计要走了”？

2. 作者叙述“祥林嫂事件”想表达什么？

2.1　“祥林嫂事件”的主要内容是什么？这是一个什么性质的事件？

2.2　作者设定了几个叙述者？这些叙述者分别用什么视角叙述，

分别叙述了哪些内容？作者设定了几个叙述层次？如何安排这些叙述内容的顺序？

2.3 作者为什么要这样叙述？

2.4 被害人祥林嫂、施暴者婆婆、推荐者卫老婆子与旁观者鲁四老爷、四婶、“看见的人”，在这个事件中分别有哪些表现？这些表现分别反映了他们哪些思想观念？他们的共识是什么？这个共识反映了怎样的社会现实？

2.5 “我”对这样的社会现实持怎样的态度？

3. 作者叙述“祥林嫂的好运”想表达什么？

3.1 与祥林嫂的“好运”相关的有哪些事？

3.2 作者是如何叙述这些事的？为什么要这样叙述？

4. 祥林嫂第二次到鲁镇做女工，鲁镇上的每个人在主观上都没有迫害她的动机，甚至有些人的动机是为了帮助祥林嫂，为什么这些人的言行最终将祥林嫂逼上了绝路？

4.1 鲁镇的人在与祥林嫂的互动中有哪些言行？这些言行反映了他们怎样的思想观念？

4.2 鲁镇上的这些人代表了哪些阶层？这些人的共识是什么？这些共识反映了怎样的社会现实？

4.3 这些人的言行促使祥林嫂发生了哪些变化？

4.4 这些言行背后的原初动机是什么？为什么这些言行最终将祥林嫂逼上了绝路？

4.5 叙述者“我”对这一现实持怎样的态度？

5. 叙述者“我”为什么说出第二个“无论如何，我明天决计要走了”？

5.1 祥林嫂抛出了哪些问题？

5.2 这些问题引发了“我”哪些认知冲突与情感变化？

5.3 面对祥林嫂的问题，“我”是如何应对的？

5.4 这样应对的目的是什么？

5.5 逃回鲁四老爷家后，“我”的情感经历了怎样的变化过程？

5.6 为什么“昨天遇见祥林嫂的事”使“我”不能安住？

6. 作者为什么要叙述不同人对于“祥林嫂的死”的态度？

6.1 关于祥林嫂的死，鲁四老爷和短工各持什么态度？为什么要写这两个人的态度？

6.2 “我”与短工的对话涉及哪些话题？

6.3 谈话过程中，“我”的内心产生了怎样的情感波折？为什么会出现这样的情感波折？

6.4 “我”对祥林嫂的死持怎样的态度？作者为什么要写“我”的这种态度？

7. “我”回想了祥林嫂悲苦的一生，疑虑自己对祥林嫂的死委实该负若干责任，为什么最终“我”“从白天以至初夜的疑虑，全给祝福的空气一扫而空了”？

这篇小说采用的是“离去——归来——再离去”的复调结构（《故乡》《在酒楼上》也采用了这种结构）。在这个结构中，叙述者“我”是一个远离故乡多年的人，在故乡已经没有家；“我”是一个知识分子，用祥林嫂的话说，“你是识字的，又是出门人，见识得多”。农历春节是亲人团圆的日子，故乡是精神的家园，但是“我”新春归乡的第四天就说“无论如何，我明天决计要走了”，且说了两遍。

“无论如何，我明天决计要走了”

“我”为什么说出第一个“无论如何，我明天决计要走了”？

首先是“我”与鲁四老爷之间存在两重隔阂。鲁四老爷是一个讲理学的老监生。他是一个思想极其落后的人，从戊戌变法到辛亥革命，已过去十余年了，他还“大骂其新党”，“所骂的还是康有为”。因此，“我”说“他比先前并没有什么大改变，单是老了些”，也即除了徒增年龄，其他都没有变化，尤其是僵化、保守的思想。“一见面是寒暄，寒暄之后说我‘胖了’，说我‘胖了’之后即大骂其新党”，他与“我”久别重逢，却也只有一些礼节性的寒暄，彼此虽是本家，但是并无多少亲情可言（后文“我”向他辞行，“他也不很留”），这是隔阂之一。“说我‘胖了’之后即大骂其新党。但我知道，这并非借题在骂我：因为他所骂的还是康有为。但是，谈话是总不投机的了，于是不多久，我便一个人剩在书房里”，他与“我”思想上存在着巨大的差距，这是隔阂之二。

其次是“我”与故乡民众在思想观念上存在隔阂。鲁四老爷家、几个本家和朋友家中都一律忙，都在准备“祝福”，而这种风俗的目的是“致敬尽礼，迎接福神，拜求来年一年中的好运气”。这些风俗在“我”看来是可笑的：“杀鸡，宰鹅，买猪肉，用心细细的洗，女人的臂膊都在水里浸得通红”，做家务的是女人，“拜的却只限于男人”；“煮熟之后，横七竖八的插些筷子在这类东西上，可就称为‘福礼’了，五更天陈列起来，并且点上香烛，恭请福神们来享用”，恭请虚无缥缈的“福神”，还要请他们用这些插得“横七竖八”的筷子“享用”福礼。而这种可笑的风俗是“年年如此，家家如此”，虽然辛亥革命已经完成了。“我”用反讽的语言描述了筹备、摆放“福礼”的情形及祭祀的仪式，揭示了鲁镇年终大典的目的，表现了故乡民众普遍存在的落后的思想观念——迷信愚昧、男尊女卑。故乡民众的这种落后的思想观念与“我”的思想观念之间有差距，这是隔阂之三。

最后，书房的环境又令“我”愈感无聊。陈抟老祖的字、残损的对联上的规训、一套不完整的《康熙字典》、两本讲理学的旧书，处处透着一股陈腐气。“我”与书房的这股陈腐气格格不入，这是隔阂之四。

亲情的缺失、思想的隔阂、内心的抑郁，这些因素促使“我”第一次说出“无论如何，我明天决计要走了”。而这些相关内容的描述又强化了叙述者“我”的一个重要的身份特征——“我”是一个有新思想的知识分子。

祥林嫂事件

“祥林嫂事件”的主要内容是：祥林嫂为了反抗婆婆的买卖婚姻，逃出婆家，在卫老婆子的推荐下到鲁四老爷家做女工，安分耐劳；三个半月后，她被婆婆及两个男人抢了回去，她的工钱、衣服也被婆婆收走了。

于是祥林嫂事件便告终结，不久也就忘却了。

作者为什么称之为“祥林嫂事件”？事件，可以解释为历史上或社会上发生的不平常的大事情，比如“七月流血事件”“水门事件”。从法律角度看，祥林嫂婆婆的所作所为实质上是一个有预谋的劫持案件，这个案件在鲁镇闹得沸反盈天。因此，作者称之为“祥林嫂事件”。

在这个“事件”中，祥林嫂是被害人；婆婆（包括婆家的两个男人）是施暴者；卫老婆子先是推荐者，后是劫持事件的合伙参与者；鲁四老爷、四婶、“看见的人”是旁观者。

作者完全可以用第一人称回忆性视角叙述这件事情，以时间先后为序交代故事的来龙去脉。比如先讲祥林嫂的逃婚，再说卫老婆子的推荐；先说婆婆的劫持，再说婆婆上门讨工钱。作者却采用了另一种叙述方式。

作者在这个部分设定了四个叙述者，“我”、卫老婆子、祥林嫂、“看见的人”。

“我”以第三人称有限视角叙述了在鲁镇劫持事件之前与之后发生的事情；卫老婆子在推荐祥林嫂时叙述了祥林嫂的来历；祥林嫂叙述了婆家的情况；“看见的人”叙述了劫持事件现场的状况。

作者在这部分设定了两个叙述层次：“我”的叙述是第一叙述层次，可以视作“外层故事”；卫老婆子、祥林嫂、“看见的人”是“亚故事叙述者”，他们在第二叙述层次上依次叙述，其叙述可以视作“内层故事”。

“我”在第一叙述层次，以时间为序，叙述了祥林嫂到鲁镇后在被劫持之前与之后发生的事情。在劫持事件之前，依次插入卫老婆子与祥林嫂的叙述；在四婶找淘箩之后，插入“看见的人”报告劫持事件的现场情况。

作者为什么要这样叙述？

首先，为了在结构上形成悬宕。作者故意隐藏了一些关于“祥林嫂的身世”和“婆婆劫持”的内情，用“我”、鲁四老爷、四婶这些有限视角关注事件的发生、发展，用卫老婆子、祥林嫂、“看见的人”逐次透露内情。“我”、鲁四老爷、四婶的所见是“表”，卫老婆子、祥林嫂、“看见的人”的叙述是“里”。这样的叙述有表有里，令整个事件悬疑丛生。“我”讲述外层故事，另外三个人讲述内层故事。外层故事与内层故事形成了一种对话关系：外层故事提出的疑问，在第一个内层故事（卫老婆子的叙述）中得到部分回答，在第二个内层故事（祥林嫂的叙述）中得到部分回答，在第三个内层故事（“看见的人”的叙述）中得到部分的回答。作者在外层故事设置的悬念，不仅吸引了叙述外层故事的“我”、鲁四老爷、四婶，还吸引了每一位读者。这种问答式叙述结构的安排，使小说的这部分内容悬疑迭起、扑朔迷离、引人入胜。

其次，为了更好地表现人物的思想观念及个性特征。鲁四老爷、四婶是不明就里的，每当祥林嫂或“看见的人”向他们告知一些内情的时候，他们就会产生一些认知冲突，同时，他们会有一些下意识的表现，比如“一知道，就皱一皱眉”，“可恶！然而……”。作者用这种叙述方式较自然地引出了一系列人物的下意识表现，并借助这些下意识表现清晰地呈现了人物的思想观念及个性特征。作者用这种叙述方式又较好地表现了知情人故意隐瞒内情或说谎的动机，比如祥林嫂为了“逃婚”隐瞒婆家的底细，她婆婆为了要到工钱与衣服，隐瞒“已经劫持祥林嫂”的事实，谎称“开春事务忙，要媳妇回家”，卫老婆子为了帮祥林嫂的婆婆拿到工钱，先隐瞒真相，事后为了讨好鲁四老爷家，又上门赔罪。作者用这种叙述方式巧妙地呈现这些人物的动机，从而表现人物的个性。而作者让“看见的人”叙述现场所见，实际上创造了一个新的观察角度，以此表现更多的旁观者对这个事件的认识与态度。

在劫持事件发生之前，祥林嫂有三个反常的表现。安分耐劳，食物不论，力气不惜，但她反而满足，嘴角渐渐有了笑影，人也白胖了，这是反常之一；不很爱说话，别人问了才答，答的也不多，这是反常之二；忽而失了色，四婶打听底细，她又不说，这是反常之三。后文交代了一个重要的事实，祥林嫂来鲁镇之前被婆婆逼着改嫁。这些反常的表现与这个事实组合起来，充分表现了祥林嫂逃避改嫁的意愿有多么强烈。只要能逃避改嫁，她什么累活都愿意做，不论待遇，她竟然还高兴、白胖，同时，她还尽全力隐瞒内情；一旦发现难逃改嫁的厄运，她就大惊失色。她被劫持后，“还哭喊了几声”，试图反抗、求救。祥林嫂是个社会底层的妇女，她未必懂得意识形态层面的礼教，她也许连“礼教”这两个字也未必听到过，她知道的是礼教所具体化的一些伦理规范，比如寡妇要守节。在小说的这部分，祥林嫂的一切行为都是为了逃避改嫁，都是尽全力在遵守礼教规定的伦理规范，礼教规定的伦理规范在她的思想观念中是根深蒂固的。

正面写婆婆的笔墨只有一处，即她到鲁四老爷家，先赔罪，再说来由，最后取走工钱与衣服。写出她应酬从容，说话能干，善于伪装。另外一些相关的笔墨是写旁人的表现，比如祥林嫂失色，卫老婆子为婆婆带路，两个男人劫持过程干脆利索，这些笔墨都暗示了这个婆婆的“精明强干”、心狠手辣。她千方百计的努力，目的就是一个，定要将祥林嫂卖给贺老六。“妇人，从人者也，幼从父兄，嫁从夫，夫死从子”(《礼记·郊特牲》)，在祥林嫂的婆婆看来，祥林死了，但是祥林的夫权还在，身为婆婆理所当然可以处置祥林嫂的一切。在婆婆眼中，祥林嫂就是她的私有财产。婆婆也知道“寡妇要守节”，也知道祥林嫂改嫁所要付出的代价，但是为了一己之私，她是绝不顾及祥林嫂的生死的。“女人是男人的附属品”，“丈夫死了，媳妇仍是夫家的附属品”，这是婆婆根深蒂固的思想观念，虽然她自己也是一个女人。

卫老婆子为人八面玲珑，主要为了一个“利”字，先是推荐祥林嫂到鲁四老爷家，再是协助她的婆婆劫持祥林嫂，最后又到鲁四老爷家赔罪。卫老婆子赔罪，一上来就强调自己不知道真相，言下之意，如果知道祥林嫂是瞒着婆婆的，她绝对不会接手这件中介买卖。卫老婆子赔罪，只是批评自己的中介工作没有做好，并保证下次推荐一个好的；对于婆婆劫持祥林嫂的恶行，她不做任何褒贬，事实上，她是认同的，因为她协助了婆婆劫持祥林嫂。卫老婆子的种种表现折射出她的思想观念与祥林嫂的婆婆是一致的——“女人就是夫家的附属品”。

鲁四老爷有两次皱眉、一次同意，还有两次说“可恶！然而……”。第一次皱眉是嫌弃祥林嫂的寡妇身份，第二次皱眉是预感祥林嫂是出逃的寡妇。面对婆婆的请求，鲁四老爷说“既是她的婆婆要她回去，那有什么话可说呢”，他也认为祥林嫂的人身权归她婆婆所有。他两次说“可恶”，语气强烈，但是没有说可恶的原因。当他第二次说“可恶”时，四婶代他说出了原委，鲁四老爷反感的不是婆婆劫持祥林嫂的动机与手段的卑劣，而是婆婆在他家门口动手，光天化日之下抢他家的女工，闹得沸反盈天，有辱他家的“清白”门风。鲁四老爷在意的只是自己在镇上的威望与讲理学的好名声，并不在意婆婆将祥林嫂劫持回去，“然而”后面省略的就是鲁四老爷认为祥林嫂的人身权归她婆婆所有。他骨子里也认同祥林嫂婆婆的思想观念——“女人是男人的附属品”，“丈夫死了，媳妇仍是夫家的附属品”。

四婶反复埋怨的是卫老婆子的中介工作没有做好——卫老婆子不该将祥林嫂这种出逃的寡妇介绍到鲁家做女工，有辱鲁四老爷家的门庭；卫老婆子更不该又做中介又合伙劫持祥林嫂，闹得沸反盈天，牵连鲁四老爷家被外人说闲话。她不是批评劫持事件本身，而是批评这个劫持事件不该发生在鲁家的女工身上，此事若是发生在别人家，四婶也不过是作壁上观。四婶在意的是祥林嫂的劳动价值，在意的是自己的米与淘箩，在意的是自家的名声，并不在意祥林嫂的生死，不在意婆婆的恶行。她也是认同祥林嫂婆婆的思想观念的。

“看见的人”在意的是事件的离奇细节，同样不在意祥林嫂的权益，不在意婆婆的恶行。“看见的人”表现出一种“看客”的心态。即使鲁镇上这些“看见的人”事后知道真相，也不会有任何质疑、声援或追究——“于是祥林嫂事件便告终结，不久也就忘却了”，因为他们也认同祥林嫂婆婆的思想观念。

婆婆、卫老婆子、鲁四老爷、四婶、“看见的人”，他们的共识是“女人是男人的附属品”，“丈夫死了，媳妇仍是夫家的附属品”。这一共识反映的社会现实是：在那个时代，妇女的社会地位极其低下，民众普遍存有“三从四德”的落后思想。

叙述者“我”对这样的社会现实是持批判态度的，文中多处用反讽的语言描述这个事件中人物的表现，比如“此后大约十几天，大家正已渐渐忘却了先前的事”，祥林嫂只是个小人物，没有在意她，又如“阿呀，米呢？祥林嫂不是去淘米的么？……”，“于是大家分头寻淘箩。她先到厨下，次到堂前，后到卧房，全不见淘箩的影子。四叔踱出门外，也不见，一直到河边，才见平平正正的放在岸上，旁边还有一株菜”。四婶与鲁四老爷，在意的是米与淘箩，不是祥林嫂。“于是祥林嫂事件便告终结，不久也就忘却了”，鲁镇上的人们不仅认同婆婆的做法，而且也不在意祥林嫂的生死。

小说这部分写“祥林嫂事件”，其中心意思就是表现在那个时代的妇女社会地位极其低下，民众普遍存有“三从四德”的落后思想，当然也花了部分笔墨表现祥林嫂思想观念中的礼教规范意识，而叙述者“我”对这一切是持批判态度的。

祥林嫂的“好运”

小说的第三部分写了三件事。

与祥林嫂的“好运”直接相关的一件事是，她嫁给了贺老六，年底生了一个男孩，上面没有婆婆，贺老六有劳动力，房子是自己的。

与祥林嫂的“好运”间接相关的两件事：一是她婆婆卖了祥林嫂，用这笔彩礼为小儿子娶亲，并在这桩婚姻买卖中获利；二是祥林嫂抗婚，头撞香案。前一件事表现了当时存在买卖婚姻，也反映了守寡儿媳完全是一份财产，任由夫家支配，更写出了婆婆的心狠手辣、精于算计。后一件事写出买卖婚姻在山区农村的普遍性——许多守寡妇女的共同悲剧，也表现了买卖双方、旁观者对这种买卖婚姻的认可，充分地表现了祥林嫂在这种社会环境中的抗争是徒劳的。

在这些事情发生时，叙述者“我”、卫老婆子都不在场。作者通过卫老婆子的嘴向四婶转述了这些事。作者在这个部分设定了三个叙述者，“我”、卫老婆子、在场的旁观者（文中写道：“他们说”，“就有人到贺家墺去，回来说”）。作者还设定了三个叙述层次：叙述者“我”交代了卫老婆子与四婶对话的起因及内容，这是第一叙述层次；卫老婆子向四婶讲述了婆婆的交易、祥林嫂的抗婚与“好运”，这是第二叙述层次；卫老婆子两次转述在场的旁观者的话，这是第三叙述层次，第一次转述（祥林嫂的抗婚）与卫老婆子以往所见的寡妇抗婚构成了反差，第二次转述是对“好运”的具体描述。这部分详细叙述了婆婆的交易与祥林嫂的抗婚，简略叙述了祥林嫂的“好运”。

作者为什么采用这样的叙述方式？

叙述者“我”不在现场，无法言说卫家山与贺家墺中发生的故事。采用卫老婆子的转述就解决了这个言说困境。如果只让卫老婆子一人完整地叙述故事的来龙去脉，那么卫老婆子必须要交代更多的内容以衔接这三件事。而现在采用四婶的四次问话引出卫老婆子讲述的三件事，这样“一问一答”的叙述方式在结构上可以节省很多用于衔接、过渡的笔墨。

视角所产生的一系列感知往往能体现观察者（或叙述者）特定的情感、立场、态度和认知程度，是窥探观察者（或叙述者）内心的一扇窗户，因此，特定视角下的叙述语言可以呈现出观察者（或叙述者）对故事中的人、事、物的思想情感。

作者用卫老婆子这个视角来叙述卫家山与贺家墺的事情，可以很好地呈现出她对这些事情的认识与态度。卫老婆子的叙述语言中呈现出她的很多思想观念——认同买卖婚姻、认同婆家对媳妇的支配权。她的叙述语言还呈现出更多扭曲的价值观。比如卫老婆子与祥林嫂的婆婆都认同“寡妇要守节”的规范，但是当一己之私与祥林嫂的守节发生冲突时，她婆婆决计是要逼迫祥林嫂改嫁的，且在这场婚姻交易中处心积虑地为自己谋得更多的利益，而卫老婆子对婆婆这种卑劣的行径不仅不给予谴责，反而还赞扬婆婆精明强干，这在一定程度上反映了卫老婆子的价值观与婆婆的价值观有相似之处——个人利益至上，为了个人利益可以不择手段，甚至可以极端地损人利己。又如卫老婆子完全认同用极端粗暴的手段强迫寡妇完成结婚仪式——“只要用绳子一捆，塞在花轿里，抬到男家，捺上花冠，拜堂，关上房门，就完事了”，还称祥林嫂的改嫁为“好运”，也即婚姻是否两相情愿不重要，只要生了男孩、男人有劳动力、有自家的房子、没有恶婆婆的管束就是“好运”，她的婚姻观重在物质层面的过活，不在意双方的感情。她的叙述语言还呈现出一种极其冷漠的“看客”心态，对受害者毫无怜悯之心。

作者还通过卫老婆子两次转述在场的旁观者的话。这些话在一定程度上反映了在场的旁观者对这种不幸的婚姻所持的态度与卫老婆子的态度是一致的，他们的思想观念与情感倾向是一致的。这充分表现了这种思想观念在当时的山村中有一定的普遍性。

作者设计四婶的叙述，一方面是为了在结构上引出卫老婆子的讲述，另一方面是为了呈现四婶的思想观念。“‘阿呀，这样的婆婆！……’四婶惊奇的说”，“祥林嫂竟肯依？……”，“后来怎么样呢”，“后来呢”，这四处语言表现了四婶对这桩婚事的态度，她认为婆婆的做法不妥，也好奇祥林嫂是否坚持守节，这种态度中蕴含的思想观念就是“寡妇必须守节”。“从此之后，四婶也就不再提起祥林嫂”，四婶在意的是能干的祥林嫂能否再来做女工，至于祥林嫂的不幸遭遇，在四婶看来也不过是一些谈资，听听而已，就像《孔乙己》中的掌柜听酒客讲丁举人毒打孔乙己的故事，这都表现为一种“看客”的心态。

作者在小说详略布局上也颇有匠心。卫老婆子试图讲述的中心话题应是“好运”，但是作者叙述“好运”的笔墨并不多，反而用更多的篇幅让卫老婆子叙述婆婆的交易与祥林嫂的抗争。这种反常的详略安排，实际上表现了作者对卫老婆子的思想观念的不认同。

“祥林嫂事件”与“祥林嫂的‘好运’”这两部分之间构成了递进关系。祥林嫂的不幸越来越多，祥林嫂抗争的强度越来越大，施暴者的行径越来越卑劣，旁观者的冷漠越来越凸显。这种内容上呈现出的递进关系，有力地表现了妇女地位的低下、礼教观念的深入人心、利己主义的卑劣性、“看客”心态的普遍性。

无形的精神摧残

祥林嫂第二次到鲁镇做女工，鲁镇上的每个人在主观上都没有迫害她的动机，甚至有些人的动机是为了帮助祥林嫂，为什么这些人的言行最终将祥林嫂逼上了绝路？

小说的第四部分只有一处正面写鲁四老爷。

> 当她初到的时候，四叔虽然照例皱过眉，但鉴于向来雇用女工之难，也就并不大反对，只是暗暗地告诫四婶说，这种人虽然似乎很可怜，但是败坏风俗的，用她帮忙还可以，祭祀时候可用不着她沾手，一切饭菜，只好自己做，否则，不干不净，祖宗是不吃的。

鲁四老爷对祥林嫂有两个用工安排，一是“用她帮忙还可以”，二是“祭祀时候可用不着她沾手”。他这样安排的原因是家中难以雇佣到像祥林嫂这样安分耐劳的女工，同时，他又认为祥林嫂是败坏风俗的女人。他前一个安排的动机是满足家中用工的需要，后一个安排的动机是保证祭祀合乎礼法，自己能得到祖宗的保佑。鲁四老爷的安排是一种权宜之计。这反映了他的思想观念——必须遵守封建礼教。

四婶收留了祥林嫂，给她工作的机会。祥林嫂上工之后的两三天，四婶发现她的劳动质量大幅下降，便表露出不满的口气，但是没有当即辞退祥林嫂。在两次祭祀的准备过程中，四婶有三处反常的表现。

第一次祭祀准备过程中，当祥林嫂要帮忙拿祭祀用品时，四婶发出了反常的喝令。

“祥林嫂，你放着罢！我来摆。”四婶慌忙的说。

“祥林嫂，你放着罢！我来拿。”四婶又慌忙的说。

第二年，祥林嫂捐了门槛，自认为已经赎罪了，她坦然去插手冬至祭祀。当她快要触碰到祭祀用品时，四婶又一次发出了反常的喝令。

“你放着罢，祥林嫂！”四婶慌忙大声说。

鲁四老爷家最重大的事情是祭祀，祥林嫂先前最忙的时候也是祭祀，但是四婶如今却不让祥林嫂沾手了，因为她完全接受鲁四老爷的告诫，认同鲁四老爷的判断——祥林嫂是个败坏风俗的女人，她触碰过的东西不干不净，祖宗是不吃的。她的思想观念中也存有封建礼教的规范。几次喝令都是强制性的祈使语气，与第一年的喝令相比，第二年喝令的语序发生了变化，戒备的心理愈发强烈，强制性的口气变本加厉。这种反常的表现说明四婶不认可祥林嫂的赎罪行为，因为四婶的思想认识是“饿死事小，失节事大”，祥林嫂面对改嫁的逼迫，只有一死，才算守节。

柳妈与祥林嫂的对话涉及三个话题：一是“祥林嫂是否主动依从贺老六”；

二是“女人失节的性质与后果”；三是“赎罪的方法”。柳妈认为祥林嫂后来是主动依从了贺老六，这种行为就是失节，且认定祥林嫂是有大罪的，死后要接受残酷的惩罚——把祥林嫂锯开来，分给两个死鬼男人，而柳妈认为捐门槛是赎罪的办法。柳妈的语言中暴露出她的思想观念：“饿死事小，失节事大”，女人应该以死守节；女人失节是大罪，不仅活着要受苦，死了还要受苦；女人必须付出极大的代价才能赎罪。

“大家仍然叫她祥林嫂”，“镇上的人们也仍然叫她祥林嫂，但音调和先前很不同”，人们没有叫她老六嫂，而且叫她祥林嫂的音调也变了，这说明人们不认可祥林嫂的第二段婚姻；“也还和她讲话，但笑容却冷冷的了”，这说明人们认定祥林嫂的失节是有罪的，冷冷的笑容表明了人们对祥林嫂的鄙薄。人们起先听祥林嫂的故事还多少陪一些眼泪，听多了就烦厌和唾弃，甚至捉弄祥林嫂，人们的笑影“又冷又尖”。人们知晓柳妈与祥林嫂的对话后，都认为祥林嫂没有以死守节，白白撞了一次。人们认定祥林嫂额头上的伤疤是耻辱的标记，还以此来取笑祥林嫂。鲁镇上的人们都认同礼教宣扬的节烈观。

鲁四老爷、四婶属于大户人家，有一定的社会地位，鲁四老爷是守旧的读书人，代表了乡绅阶层，鲁镇上的人们代表了底层的民众；柳妈与祥林嫂实则是一个阶层的人，她们的共识是必须遵守封建礼教宣扬的节烈观；而且绝大多数人都有一种“看客”的心态。这种共识反映的社会现实是民众思想的落后、愚昧，而民众的麻木、冷漠正是这种落后、愚昧的思想的产物。

祥林嫂第二次到鲁镇的时候，已经发生了很大的变化。“只是两颊上已经消失了血色，顺着眼，眼角上带些泪痕，眼光也没有先前那样精神了”，“她手脚已没有先前一样灵活，记性也坏得多，死尸似的脸上又整日没有笑影”，而且逢人就要说阿毛的故事。因为，改嫁后的经历让她的精神受到了极大的刺激。而鲁镇上每个人的言行又促使祥林嫂发生了更大的变化。

她讪讪的缩了手，又去取烛台……她转了几个圆圈，终于没有事情做，只得疑惑的走开。

她张着口怔怔的站着，直着眼睛看他们，接着也就走了，似乎自己也觉得没趣。但她还妄想，希图从别的事，如小篮，豆，别人的孩子上，引出她的阿毛的故事来……于是又只剩下她一个，终于没趣的也走了。

从人们的笑影上，也仿佛觉得这又冷又尖，自己再没有开口的必要了。她单是一瞥他们，并不回答一句话。

她脸上就显出恐怖的神色来，这是在山村里所未曾知道的。

她当时并不回答什么话，但大约非常苦闷了，第二天早上起来的时候，两眼上便都围着大黑圈。早饭之后，她便到镇的西头的土地庙里去求捐门槛。庙祝起初执意不允许，直到她急得流泪，才勉强答应了。

她大约从他们的笑容和声调上，也知道是在嘲笑她，所以总是瞪着眼睛，不说一句话，后来连头也不回了。她整日紧闭了嘴唇，头上带着大家以为耻辱的记号的那伤痕，默默的跑街，扫地，洗菜，淘米。

她像是受了炮烙似的缩手，脸色同时变作灰黑，也不再去取烛台，只是失神的站着。直到四叔上香的时候，教她走开，她才走开。这一回她的变化非常大，第二天，不但眼睛窈陷下去，连精神也更不济了。而且很胆怯，不独怕暗夜，怕黑影，即使看见人，虽是自己的主人，也总惴惴的，有如在白天出穴游行的小鼠；否则呆坐着，直是一个木偶人。不半年，头发也花白起来了，记性尤其坏，甚而至于常常忘却了去淘米。

然而她总如此，全不见有伶俐起来的希望。

以上这些行为的变化表现了祥林嫂的精神不断受到打击，最终走向了绝路。鲁镇上的这些人的原初动机是什么？为什么这些人的言行最终将祥林嫂逼上了绝路?

鲁四老爷和四婶在主观上并没有迫害祥林嫂的动机，从就业机会与劳动强度的角度看，他们还是帮了祥林嫂：收留无家可归的祥林嫂，给她工作机会，在准备祭祀的工作时段大大减轻了她的工作量。与三年前雇佣祥林嫂的情况相比，鲁四老爷家这样安排还得付出一定的代价，比如祭祀用的一切饭菜得自己做，还要雇佣短工来帮忙。而且鲁四老爷还是顾及人际交往中的情面的，他没有明面上告知祥林嫂这样安排的真实原因，只是暗暗地告诫四婶。四婶也始终没有明说祥林嫂“败坏风俗”，即使最后辞退祥林嫂，也是因为她精神恍惚，无法胜任工作，而不是因为她“败坏风俗”。但是，他们的行为还是无形中让祥林嫂感到了鲁四老爷家对她的歧视，感到了被歧视的缘由——自己是个败坏风俗的女人。尤其是第二年四婶阻止祥林嫂插手祭祀，更是让祥林嫂彻底失去了改善自己命运的幻想。鲁四老爷和四婶的言行客观上在精神层面摧残了祥林嫂，促使祥林婶迅速走向死亡。

柳妈在主观上完全是为了祥林嫂好，希望帮助祥林嫂早日赎罪。但是她的言语无形中给祥林嫂灌输了更严苛的节烈观与更多的迷信思想，特别是女人失节之后在地狱要遭受的残酷惩罚。这些思想不仅进一步加重了祥林嫂的负罪感，还令祥林嫂产生了强烈的恐惧——“她脸上就显出恐怖的神色来，这是在山村里所未曾知道的”。死了死了，一死百了。若没有听到柳妈关于地狱的一番话，祥林嫂也许还能期望死亡以后了却活着时的罪孽与烦扰，但是听了柳妈所说的地狱的惩罚，祥林嫂对死后的世界也充满了恐惧。柳妈的言语让祥林嫂所受的精神折磨更加强烈。柳妈所说的“到土地庙里去捐一条门槛”燃起了祥林嫂赎罪的希望，当这种强烈的希望被无情的现实扑灭时，反而在精神上更沉重地打击了祥林嫂，将她推向了绝望的深渊。

其他的人主观上也没有迫害祥林嫂的动机，只是以一种“看客”的心态将祥林嫂当作娱乐的对象，这一点与《孔乙己》中的酒客是相似的。但是人们的鄙薄、嘲笑、捉弄形成了一股极大的舆论压力，在精神层面无情地、持久地折磨着祥林嫂，让她永远生活在耻辱的阴影中。

鲁镇上的每一个人主观上都没有迫害祥林嫂的动机，但是从他们的思想观念所产生的言行都无形中在精神层面打击了祥林嫂，最终将她逼上绝路。封建礼教本身是无法直接“吃人”的，而在封建礼教思想观念支配下的人们的言行是真能“吃人”的。鲁镇上的这些人都是“凶手”。

叙述者“我”对这些人的言行持批判的态度。文中多处用反讽的语言叙述这些人的表现。比如写四婶时特意强调她的三处喝令；又如叙述柳妈是“善女人”，绝不杀生，但她的行为却将祥林嫂推向了死亡，用“核桃”这个隐喻丑化柳妈打皱的笑脸；再如写人们对待祥林嫂讲述阿毛故事的态度的先后变化，先是女人们“陪出许多眼泪”，再是有些老女人特意寻来听祥林嫂的这段故事，然后“满足的去了”，一旦听得纯熟了，“便是最慈悲的念佛的老太太们，眼里也再不见有一点泪的痕迹”，后来是“她的悲哀经大家咀嚼赏鉴了许多天，早已成为渣滓，只值得烦厌和唾弃”。

“无论如何，我明天决计要走了”

叙述者“我”为什么说出第二个“无论如何，我明天决计要走了”？

此事发生的背景是第二天下午叙述者“我”到镇东头拜访过一个朋友，走出来，在河边偶遇祥林嫂，“我”觉得“这回在鲁镇所见的人们中，改变之大，可以说无过于她的了”，“我”发现祥林嫂已经是一个末路人。

祥林嫂主动找“我”说话，她抛出了三个问题。

祥林嫂抛出的第一个问题是：“一个人死了之后，究竟有没有魂灵的？”这个问题引起了“我”的认知冲突——“我”原先对于魂灵的有无向来毫不介意，而且也不知该如何回答，但是祥林嫂竟然请求“我”对这个问题给出一个可靠的解释。此刻“我”的情感是悚然且惶急的。

“我”的踌躇在于“这里的人照例相信鬼，然而她，却疑惑了，——或者不如说希望：希望其有，又希望其无”。祥林嫂希望其有，因为她希望见到阿毛，阿毛是她唯一的精神寄托（她第二次到鲁镇后叙述的悲惨故事的主角是阿毛，不是祥林，也不是贺老六）；她希望其无，因为她害怕自己到了地狱受到严厉的惩罚。

“我”的应对是“不如说有罢”，“我”这样应对的动机完全是为了帮助祥林嫂——“人何必增添末路的人的苦恼，为她起见，不如说有罢”。

祥林嫂抛出的第二个问题是：“那么，也就有地狱了？”她抛出的第三个问题是：“那么，死掉的一家的人，都能见面的？”这两个问题引起了“我”新的认知冲突——“我”原先以为说“有魂灵”可以宽慰祥林嫂孤苦的内心，但是她竟然由“有魂灵”牵引出地狱的有无、死掉的一家人是否能见面这些可怖的问题，希望“我”给出可靠的解释。此刻“我”的情感是吃惊、胆怯的。

“我”发现这个事件的可悲之一是祥林嫂“求生不能，求死不得”，“我”无论是说“有”还是说“无”都没法解决祥林嫂的苦恼，甚至还会增添她的苦恼；可悲之二是“我”这样一个有新思想的知识分子竟然也帮不了她。

“我”的应对是“全翻过先前的话来”。“我”这样应对的动机是推卸自己的责任，设法早些逃避这件棘手的事情。

逃回鲁四老爷家后，“我”的思想情感经历了一番波折。首先，“我”心里很觉得不安逸，因为“我”担心“这答话怕于她有些危险”，“倘有别的意思，又因此发生别的事，则我的答话委实该负若干的责任”，换而言之，“我”预感祥林嫂会死，并觉得自己的答话对于祥林嫂的死也该负若干的责任。其次，“我”又自笑，因为“我”觉得自己的担忧是过度的，属于庸人自扰，且认为自己已经推翻了自己的答话，无须承担任何责任。再次，“我”总觉得不安，过了一夜，这不安愈加强烈了。“我”的这番思想情感的波折及产生的原因，可以表述为两组转折复句与因果复句：

虽然我心里很觉得不安逸，因为我这答话怕于她有些危险，倘有别的意思，又因此发生别的事，则我的答话委实该负若干的责任，但是随后也就自笑，因为觉得偶尔的事，本没有什么深意义，而我偏要细细推敲，正无怪教育家要说是生着神经病；而况因为明明说过“说不清”，已经推翻了答话的全局，即使发生什么事，于我也毫无关系了。

虽然我随后就自笑，但是我总觉得不安，过了一夜，也仍然时时记忆起来，仿佛怀着什么不祥的豫感；在阴沉的雪天里，在无聊的书房里，这不安愈加强烈了。

“我”从不安到自我宽慰，从自我宽慰又到更为强烈的不安，这两次思想情感的波折不仅仅表现了“我”不祥的预感——祥林嫂会死，更是表现出“我”深感自己对祥林嫂的死委实该负若干的责任。

虽然“我”的行为动机也是想帮助祥林嫂，但是“我”发现“我”的答话不仅不能减轻她的苦恼，而且还怕于她有些危险。为了逃避这种良心上的自责，逃避这个是非之地，于是“我”第二次说“无论如何，我明天决计要走了”。所谓的吃鱼翅，不过是一种逃避与自欺。

之所以我两次说“无论如何，我明天决计要走了”，是因为我觉得此地已没有亲情，我与周围人的思想存在隔阂，内心又无比抑郁，而况是因为一直到昨天遇见祥林嫂的事，也就使我不能安住。

“而况”说明后一个原因更为重要。面对祥林嫂的悲剧，“我”这个有新思想且本心善良的知识分子也束手无策。

祝福与死亡

叙述者“我”首先陈述了鲁四老爷对“祥林嫂之死”的态度。

“不早不迟，偏偏要在这时候，——这就可见是一个谬种！”

鲁四老爷觉得“祥林嫂在这时候死”带来的晦气影响了他的祭祀，因此，他给祥林嫂的评价是“谬种”。鲁四老爷的态度，首先反映了他对祥林嫂的轻视——祥林嫂的生命在鲁四老爷眼中就是尘芥，其次反映了他的蛮横——在他看来，祥林嫂连死都应该选个合适的时间。

叙述者“我”还陈述了短工对“祥林嫂之死”的态度。

“老了。”

“什么时候？——昨天夜里，或者就是今天罢。——我说不清。”

“怎么死的？——还不是穷死的？”他淡然的回答，仍然没有抬头向我看，出去了。

短工冷漠的态度也反映了他对祥林嫂的轻视——祥林嫂的生命就是尘芥。

叙述者“我”与短工谈了四个话题，一是“鲁四老爷和谁生气”，二是“祥林嫂的境况”，三是“祥林嫂的死亡时间”，四是“祥林嫂的死亡原因”。在谈论这些话题的过程中，“我”的内心产生了巨大的情感波澜。“我”的情感波澜及产生这些情感冲突的原因，可以表述为如下一组转折复句与因果复句：

虽然我先是诧异，接着是很不安，似乎这话于我有关系，但是“我”的这份诧异与不安很快消失了，因为，短工告知鲁四老爷是和祥林嫂生气。

虽然我先前的诧异与不安消失了，但是我即刻又生出了新的诧异与不安，因为，短工告知我祥林嫂死了。

虽然我的心突然紧缩，几乎跳起来，脸上大约也变了色，但我很快又镇定了自己，因为短工始终没有抬头，全不觉我的脸色变化。

虽然我的心突然紧缩，几乎跳起来，脸上大约也变了色，但是我的惊惶却不过暂时的事，心地已经渐渐轻松，因为我已不用对祥林嫂的死负若干责任，并不必仰仗我自己的“说不清”和他之所谓“穷死的”的宽慰。

虽然我的惊惶却不过暂时的事，心地已经渐渐轻松，但是偶然之间，我还似乎有些负疚，晚饭之时，我还想打听些关于祥林嫂的消息。

“我”之所以出现这番情感的波澜，是因为“我”内心深处还是认为自己对祥林嫂的死委实该负若干的责任。“仰仗我自己的‘说不清’和他之所谓‘穷死的’的宽慰”不过是一种自欺。正因为“我”的内心深处还是认为自己对祥林嫂的死委实该负若干的责任，所以晚饭后，我独坐灯前又陷入了沉思。

这百无聊赖的祥林嫂，被人们弃在尘芥堆中的，看得厌倦了的陈旧的玩物，先前还将形骸露在尘芥里，从活得有趣的人们看来，恐怕要怪讶她何以还要存在，现在总算被无常打扫得干干净净了。魂灵的有无，我不知道；然而在现世，则无聊生者不生，即使厌见者不见，为人为己，也还都不错。

“我”的沉思有两个内容，一是人们对于“祥林嫂之死”的态度，二是“我”对“厌见者”与“无聊生者”的态度。

人们眼中的祥林嫂不是一个活生生的人，而是一个玩物，是一个被人们弃在尘芥堆中、看得厌倦了的陈旧的玩物。人们原先只是用她来娱乐，后来玩厌了，最终将其抛弃在尘芥堆里，甚至还希望她早些死；在人们眼中祥林嫂活着完全是多余，如今祥林嫂死了，人们的意愿自然是得到了满足。

“我”用“玩物”“尘芥”这两个隐喻来称谓人们眼中的祥林嫂，表露出对冷酷寡义的人们的不满；用“活得有趣的人们”这个称谓，更是对这些拥有低级趣味的人们的嘲讽；用“怪讶”“总算”来刻画人们对“祥林嫂之死”的态度，更是表达了对这些“厌见者”的无情批判。

“我”称呼祥林嫂是“百无聊赖的人”，“百无聊赖”意为精神上无所寄托；“我”还称呼祥林嫂为“无聊生者”，“无聊生者”意为无所依靠而活不下去的人。从苦难的程度上看，“无聊生者”比“百无聊赖的人”更进一层。“我”对“厌见者”持批判的态度，而称祥林嫂为“百无聊赖的人”“无聊生者”，可见“我”对祥林嫂是无比同情的，对“祥林嫂之死”是充满怜悯的，但是“我”丝毫看不到帮祥林嫂解决问题的出路，对“祥林嫂之死”也无可奈何。然而总沉浸在苦闷中也不是办法，人总是要寻求自我解脱的，于是，“我”自我宽慰道“魂灵的有无，我不知道；然而在现世，则无聊生者不生，即使厌见者不见，为人为己，也还都不错”，也因此，一面想，反而渐渐地舒畅起来。

虽然“我”渐渐地舒畅起来，然而先前所见所闻的祥林嫂半生事迹的断片，至此也“联成一片”了。“我”又沉入了对祥林嫂往事的回忆中，“我”总还是挂怀祥林嫂的问题。虽然“我”沉入了对祥林嫂的回忆，但是，“我在这繁响的拥抱中，也懒散而且舒适，从白天以至初夜的疑虑，全给祝福的空气一扫而空了”，因为，对于祥林嫂的问题，“我”束手无策，与其苦思冥想、徒增烦恼，不如自我解脱。虽然“我”试图自我解脱，但是“我”依然不满这样的现实。结尾处，“我”用反讽的语言叙述了可笑的“祝福”——“天地圣众歆享了牲醴和香烟，都醉醺醺的在空中蹒跚，豫备给鲁镇的人们以无限的幸福”。

作者写叙述者“我”对人们的态度，表达了批判的意识，写“我”对“祥林嫂之死”的态度，表现了一个有新思想的知识分子的无奈。

作者设定了多个叙述者，设定了多个叙述层次，多角度地呈现了祥林嫂苦难的一生以及造成祥林嫂悲剧的原因，特别是写出了祥林嫂的生死两难，深刻地批判了封建礼教，揭示了旧时妇女地位的极其低下，抨击了冷漠、麻木的“看客”文化。

作者设定的叙述者“我”是一个有新思想的知识分子，是一个本心善良的人，作者勾勒了“我”在整个事件过程中的思想情感的波澜，写出了一个有新思想且本心善良的知识分子面对祥林嫂的悲剧、面对这黑暗的社会现实时的束手无策。连“我”这样一个知识分子也看不到改造这个社会的出路，说明这个社会更需要改造，这样的国民性更需要改造。

“生死两难”，揭示了礼教对妇女的摧残程度之深；“束手无策”，揭示了改造这样的社会现实之难：这些都体现了鲁迅这篇小说思想上的深刻性。

妙法层出　劣根毕露
——解读《阿Q正传（节选）》

统编高中语文教材节选了《阿Q正传》的第二章“优胜记略”、第三章“续优胜记略”。这两章的标题中都有“优胜”二字，又都有“记略”二字。所谓“优胜”者，取胜也；所谓“记略”者，大致地记录也。这两章叙述了阿Q若干个胜利的故事，阿Q克敌制胜的妙法层出不穷，而“如是等等妙法”中深藏着民族的劣根性。解读这两章可以思考的核心问题是：叙述者对阿Q及未庄人持怎样的态度？解决这个核心问题的下位问题具体如下：

1. 第二章主要叙述了阿Q的哪些“行状”？在这些故事中，阿Q面对哪些情形？他的妙法是什么，有何荒谬之处？

2. 第二章中的这些故事之间是什么关系？阿Q的妙法所构建起来的“精神胜利法”的实质是什么？

3. 在第三章中，得意多年的阿Q遭遇了哪两件屈辱的事情？他原先的认识是怎样的？基于这样的认识，他的表现是怎样的？结局是怎样的？他为什么觉得屈辱？他是如何面对这两件屈辱的事情的？这种处理“屈辱”的方法的实质是什么？

4. 在第三章中，阿Q为什么从“忘却”又“发生了回忆，又发生了敌忾了”？阿Q欺负小尼姑的实质是什么？

5. 第二章与第三章是什么关系？

6. 在这两章中，未庄人是如何对待阿 Q 的？他们的行为背后的思想观念是什么？他们与阿 Q 有哪些相似之处？

7. 叙述者用怎样的语言形式叙述这些故事？为什么采用这样的语言形式？

第二章主要叙述了阿 Q 六件克敌制胜的“行状”：一是阿 Q 战胜与其发生口角的人，二是阿 Q 战胜两个“文童”，三是阿 Q 鄙薄未庄的人与城里的人，四是阿 Q 初胜闲人，五是阿 Q 再胜闲人，六是阿 Q 战胜了另一个自己。

在第一个故事中，叙述者叙述了未庄人与阿 Q 的交往，“未庄的人们之于阿Q，只要他帮忙，只拿他玩笑，从来没有留心他的‘行状’的”。阿 Q 在未庄人的眼里只有两个作用，一是帮忙的劳力，二是取笑的材料。除却这两项，没有人在乎阿 Q。阿 Q 是底层中的底层，但是，阿 Q 在与人发生口角时却要证明自己高人一等。阿 Q 与人发生口角主要不是探讨历史，而是争执当下，因此，阿 Q 应该证明的是“我”现在比你强大，而阿 Q 实际的应对方法是：“我们先前——比你阔的多啦！你算是什么东西！”“我们先前——比你阔的多”，这是过去的辉煌历史（是否是事实，阿 Q 并没有提供证据）；“你算是什么东西”，这是宣示“我”比你强大。他的克敌制胜的妙法之一是：用未经核实的过去的辉煌历史证明自己的强大。

这一妙法是荒谬的。阿 Q 应该证明的观点是“我现在比你强”，而他实际上使用的材料是“我们先前——比你阔的多”。首先，这个材料是不是事实，是有待证明的，当然阿 Q 没有提供证据，因此，这个材料本身的可靠性就值得怀疑，其中存在的逻辑问题是材料本身不一定可靠；其次，纵然这个材料是事实，发生在过去的辉煌历史充其量只能证明“我”过去比你强大，但无法证明“我”现在的强大，因此，阿 Q 实际上使用的材料与应该证明的观点之间没有必然联系，其中存在的逻辑问题是“推不出”。阿 Q 运用这一妙法不过是掩饰自己现在的“弱”，制造一个胜利的幻觉麻醉自己。

在第二个故事中，未庄人是尊奉两个“文童”的，更是尊奉两个“文童”的爹爹赵太爷、钱太爷，因为未庄人的思想观念是“金钱与功名决定地位”。阿

Q瞧不起所有未庄人，尤其瞧不起两个“文童”。阿Q也认同“金钱与功名决定地位”，但是他不认同赵太爷、钱太爷的地位比他高。阿Q既然不认同赵太爷、钱太爷现在的地位比自己高，就应该证明自己现在的强大，而阿Q实际的应对之策是“我的儿子会阔得多”。他的克敌制胜的妙法之二是：用虚拟的将来的辉煌证明自己的强大。

这一妙法同样是荒谬的。阿Q应该证明的观点是“我现在比你强”，而他实际使用的材料是“我的儿子会阔得多”。“我们先前——比你阔的多”描述的是过去的事情，只需要核实，但是，“我的儿子会阔得多”描述的是将来的事情，这个事情是否会出现，是或然的，而非必然的，结合阿Q的境况（他至少还没有儿子）来看，这个事情出现的概率是极低的，因此，他首先错在将或然性事件视作必然性事件。纵然这个事情将来发生了，那充其量也只能证明阿Q将来的强大，而无法证明他现在的强大，其中依然存在“推不出”的逻辑问题。他运用这一妙法仍是在制造新的胜利的幻觉麻醉自己。

在第三个故事中，阿Q鄙薄未庄人，认为“未庄人真是不见世面的可笑的乡下人呵，他们没有见过城里的煎鱼”，其预设前提是“城里人比未庄人高明，城里的文化更先进”。阿Q又鄙薄城里人，认为未庄人“叫‘长凳’……城里人却叫‘条凳’……这是错的”，“油煎大头鱼，未庄都加上半寸长的葱叶，城里却加上切细的葱丝……这也是错的”，其预设前提是“未庄人比城里人高明，未庄的文化比城里先进”。他的克敌制胜的妙法之三是：用双重标准评判事物以抬高自己的地位。

这一妙法的逻辑谬误之一是将概念之间的“同一关系”视作“非同一关系”，“用三尺三寸宽的木板做成的凳子”既可以叫“长凳”，也可以叫“条凳”，命名不同，本质一样，这两个概念之间是“同一关系”，阿Q非要将其视作“非同一关系”。逻辑谬误之二是非要在审美问题上分一个对错，烹饪选用佐料是个审美喜好的问题，不是对错的问题。逻辑谬误之三是用双重标准做判断，两个判断所依据的标准（预设前提）自相矛盾。

在第四、五个故事中，阿Q面对一个窘境，自己头上长了癞疮疤。他就讳说“癞”以及一切近于“赖”的音，后来又不断扩大避讳的范围，但是只有地位高的人才能对别人提出避讳的要求，阿Q并没有地位，而且也没有实力去惩戒别人的犯讳，只能采用“怒目主义”。雪上加霜的是，他又要面对闲人们的挑衅与捉弄。

阿Q最初面对闲人们的挑衅与捉弄，有两个表现：一是打嘴仗，“你还不配”；二是自我宽慰，“我总算被儿子打了，现在的世界真不像样”。前者在逻辑上违背了矛盾律，“犯忌”与“一种高尚的光荣的癞头疮”相抵触。后者在逻辑上属于“偷换概念”，将“闲人打阿Q”替换为“儿子打老子”。后者是阿Q发明的第四个克敌制胜的妙法：在幻想中重新设定人际关系以抬高自己、贬低别人。

阿Q面对的闲人们更大的挑衅与捉弄是被逼否定自己的第四个妙法，承认自己是畜生，承认闲人们打自己就是“人打畜生”，换而言之，闲人们不仅要在肉体上打败阿Q，还要在精神上打败阿Q，让他的精神胜利法失效。阿Q的表现又有两个：一是自轻自贱，认定自己是虫豸；二是产生新的自我宽慰：“他是第一个能够自轻自贱的人，除了‘自轻自贱’不算外，余下的就是‘第一个’。状元不也是‘第一个’么？‘你算是什么东西’呢!?”前者仍是犯了自相矛盾的错误。后者又是偷换概念，抓住概念之间的某些相似之处（比如“第一个”），抹杀不同概念之间的本质区别（比如“自轻自贱”与“金榜题名”）。后者是阿Q发明的第五个克敌制胜的妙法：只取“第一”，颠倒“荣辱”。

在最后一个故事中，阿Q陷入了设赌摊之人的骗局，钱被抢，人被打，更糟的是前两个精神胜利法都失效了——“说是算被儿子拿去了罢，总还是忽忽不乐；说自己是虫豸罢，也还是忽忽不乐”。于是，他自己打自己，将这种行为视作自己打了“别一个自己”。其实还是“偷换概念”，但是阿Q认为自己又发明了第六个克敌制胜的妙法：以自残的手段战胜不存在的“别一个自己”。

在第二章中，这些故事之间构成递进关系。阿Q面对的挑战越来越大：最初只是与人发生口角，后来是被打，再后来是既要被打又要自轻自贱，最后是不仅挨打，还被骗钱，更是发现以往的精神胜利法失效了。阿Q付出的代价不断叠加：最初只是被人奚落，后来是肉体上遭受苦痛，再后来是肉体上遭受苦痛且人格上遭受侮辱，最后是肉体上遭受苦痛，经济上蒙受损失，精神上又一时找不到出路。阿Q面对这些逐层递进的压迫，竟然能不断想出新的克敌制胜的妙法：用未经核实的过去的辉煌历史证明自己的强大；用虚拟的将来的辉煌证明自己的强大；用双重标准评判事物以抬高自己的地位；在幻想中重新设定人际关系以抬高自己、贬低别人；只取“第一”，颠倒“荣辱”；以自残的手段战胜不存在的“别一个自己”。“如是等等妙法”层出不穷。前五个妙法的实施，只需嘴上逞强，或是心里幻想，至少自己不需要摧残自己的肉体，但最后一个妙法的实施，需要先打自己两个嘴巴，主动摧残自己的肉体，才能在心里建构一个幻想以求宽慰：如此排布材料，将这些妙法的荒谬推向了极致。

这些妙法组合在一起构建了阿Q的“精神胜利法”。“精神胜利法”的实质是弱者不敢正视自己的缺点，用各种荒谬的思想制造出种种胜利的幻觉，用这些胜利的幻觉麻醉自己，心甘情愿地做一个被压迫者、被损害者。“精神胜利法”的运用是国民劣根性的表现。正如鲁迅所说：“中国人的不敢正视各方面，用瞒和骗，造出奇妙的逃路来，而自以为正路。在这路上，就证明着国民性的怯弱，懒惰，而又巧滑。一天一天的满足着，即一天一天的堕落着，但却又觉得日见其光荣”(《坟·论睁了眼看》)。①

阿Q运用“精神胜利法”时自鸣得意，文中多次用感叹句来表达这种情绪：“我们先前——比你阔的多啦！你算是什么东西！”“我的儿子会阔得多啦！”“这也是错的，可笑！”“‘你算是什么东西’呢！?”这充分表现了阿Q的麻木不仁、自高自大。第二章还两次写到阿Q酣然入睡，“愉快的回到土谷祠，放倒头睡着了”，“心满意足的得胜的躺下了。他睡着了”。这一方面表现了“精神胜利法”的效果好，另一方面暗示阿Q就是“铁屋子里的昏睡者”，正如《呐喊·自序》中所说“假如一间铁屋子，是绝无窗户而万难破毁的，里面有许多熟睡的人们，不久就要闷死了，然而是从昏睡入死灭，并不感到就死的悲哀”②。

第三章主要叙述了阿Q遭遇的两件屈辱的事。

“阿Q此后倒得意了许多年”，“此”是指阿Q被赵太爷打了之后，未庄人仿佛格外尊敬他。阿Q被赵太爷打且因而提升了知名度，本应更感到耻辱，但

①② 鲁迅著《鲁迅全集》(第一卷)，人民文学出版社1981年版，第240页，第419页。

他却是愈发得意。这种得意成为他两次误判的原因之一。

> 在阿Q的记忆上，这大约要算是生平第一件的屈辱。

> 在阿Q的记忆上，这大约要算是生平第二件的屈辱。

第一个“这”是指阿Q与王胡比赛捉虱子，输了之后，阿Q骂王胡，结果被王胡打败。第二个“这”是指阿Q轻声骂假洋鬼子“秃儿。驴……”，结果被假洋鬼子打。

阿Q原先认为王胡的身份、地位比他低，“王胡以络腮胡子的缺点，向来只被他奚落，从没有奚落他，更不必说动手了”。阿Q见到王胡在捉虱子，就要较量一番（这种较量本身也很可笑）。基于原先的认识，加之许多年的得意（受到未庄人的“尊敬”），阿Q便要在王胡面前耀武扬威，表现之一是认为“他肯坐下去，简直还是抬举他”，表现之二是捉虱子比不过王胡，自认为“大失体统”，表现三是非常勇武地挑衅王胡，还质疑王胡“出言无状”。结果是阿Q一败涂地。

他之所以认为这是生平第一件的屈辱，是因为他一向以为低他一等的王胡竟然战胜了他。面对这一件屈辱，他的表现极其反常——“阿Q无可适从的站着”，一是因为主观意愿与结局之间形成的强烈反差令他的心态一下子失衡了，二是因为“精神胜利法”彻底失效了。“精神胜利法”应用的范畴是败于强者的时候，应用的关键是在心里逆转自己与强者的地位关系，以求得心理的平衡，因此，当阿Q败于自以为比他弱的王胡时，就没有逆转彼此地位的可能了，“精神胜利法”也就彻底失效了。

阿Q原先以为假洋鬼子的地位也不如他，理由是“他先前跑上城里去进洋学堂，不知怎么又跑到东洋去了，半年之后他回到家里来，腿也直了，辫子也不见了”，“辫子而至于假，就是没有了做人的资格”。这充分表现了阿Q保守落后的思想。但是，假洋鬼子的社会地位、经济地位远高于阿Q，阿Q又不得不忌惮几分。这种矛盾的心态令他只敢在心里骂假洋鬼子。但是，阿Q刚在王胡那里受了屈辱，需要发泄情绪，于是竟然丧失理智去招惹假洋鬼子，结果又遭受一顿责打。这次依然是心态失衡，依然无法运用“精神胜利法”。在这种窘境中，阿Q启用了新的妙法——“忘却”。“‘忘却’这一件祖传的宝贝也发生了效力”，这种处理方式的实质是逃避现实。

阿Q为什么从“忘却”又“发生了回忆，又发生了敌忾了”？因为，他发现了小尼姑，这是一个可以真正供他欺负的弱者。于是，阿Q无理挑衅，言语轻薄，动手侮辱。前面的“忘却”实则是选择性的“忘却”，是弱者逃避现实。后面的“发生了回忆”“发生了敌忾”是选择性的“发生”，其实质是弱者通过欺负更弱者来寻求心理平衡。而“欺负”王胡、假洋鬼子也是源于这种心理（只是阿Q误判了形势）。鲁迅曾在《华盖集·杂感》中说过：“勇者愤怒，抽刃向更强者；怯者愤怒，却抽刃向更弱者。”①阿Q这种扭曲的弱者心理，实则表现了欺软怕硬的双重性，正如鲁迅在《华盖集·忽然想到》中所说“他们是羊，同时也是凶兽；但遇见比他更凶的凶兽时便现羊样，遇见比他更弱的羊时便现凶兽样”②。

他这一战，早忘却了王胡，也忘却了假洋鬼子，似乎对于今天的一切“晦气”都报了仇；而且奇怪，又仿佛全身比拍拍的响了之后更轻松，飘飘然的似乎要飞去了。

此处的“忘却”是真的忘却，在弱者那里得胜，便掩盖了自己在强者那里受到的两次屈辱。这种欺负弱者以求得心理平衡的思想，这种欺软怕硬的性格，也是国民的劣根性。

第二章中，阿Q是被“强者”打败，他的优胜是靠“精神胜利法”；第三章中，阿Q先是被两个他认为的“弱者”打败，在“精神胜利法”失效后，为了优胜，启用了两个新的妙法，一是“忘却”，二是“欺负更弱者”。这两章从三个不同的角度揭示了国民的劣根性：一是“精神胜利法”，二是“忘却”屈

①② 鲁迅著《鲁迅全集》（第三卷），人民文学出版社1981年版，第49页，第60页。

辱，三是欺负更弱者。

如果说运用“精神胜利法”“‘忘却’屈辱”这些妙法的结果只是自甘堕落，那么“欺负更弱者”这种妙法则是损人利己，其后果更严重，性质更卑劣。

阿Q的“精神胜利法”一直延续到小说的结尾，在去法场的路上，他喊出了一声“过了二十年又是一个……”，事实上，阿Q从来就不是一个好汉，这只是他“精神胜利法”的“绝唱”。第七章中，阿Q幻想自己参加了革命，在革命成功后摘取种种胜利的果实：元宝、洋钱、洋纱衫、女人……，“秀才娘子的一张宁式床先搬到土谷祠，此外便摆了钱家的桌椅，——或者也就用赵家的罢。自己是不动手的了，叫小D来搬，要搬得快，搬得不快打嘴巴”。阿Q参加革命为的是获得赵太爷、钱太爷那样的权势，一旦夺权，就要奴役别人，奴役的手段比赵太爷、钱太爷还要暴虐。阿Q“欺负更弱者”的做派登峰造极。

这两章的叙述显明，未庄人与阿Q有许多相似之处。首先，未庄人与阿Q一样欺软怕硬：未庄人只是将阿Q视作帮忙的劳力、玩笑的材料；未庄的闲人更是以取笑阿Q为乐趣；未庄酒店里的人见到阿Q欺负小尼姑，也哈哈大笑，也九分得意；未庄人默认有权势的赵太爷不会错，虽然阿Q被打，但是担心他是赵太爷的本家，总不如尊敬一些稳当；赵太爷打了阿Q一个嘴巴，认为他不配姓赵，但是听到革命的风声后，称呼阿Q为“老Q”。其次，未庄人的思想观念与阿Q一样落后、保守：未庄人将金钱与功名视作地位的象征；假洋鬼子的辫子没了，他的母亲大哭了十几场，他的老婆跳了三回井。再次，阿Q的“精神胜利法”也是未庄人共有的，“忘却”是大家祖传的宝贝。比如，阿Q与小D“龙虎斗”，“便成了势均力敌的现象，四只手拔着两颗头，都弯了腰，在钱家粉墙上映出一个蓝色的虹形，至于半点钟之久了”，这小D就是“小Don”，即小同。鲁迅在《且介亭杂文·寄〈戏〉周刊编者信》中说：“他叫‘小同’，大起来，和阿Q一样。”[①] 因此，阿Q的丑陋具有普遍性，是国民的劣根性。

叙述者对这一切是持批判态度的。叙述者借助反讽的语言形式传达了这种批判的态度。这篇小说的反讽的语言形式呈现出几个特点：一是解构隐含等级

① 鲁迅著《鲁迅全集》（第一卷），人民文学出版社1981年版，第530页。

观念的文体，用戏谑的方式进行调侃，比如第一章讨论阿Q的往事是否有资格用“传”这种文体，叙述者故作纠结，实则讽刺文体背后的等级观念，又如第二章用“行状”表述阿Q的往事，叙述者通过文体的错位使用，实现嘲讽的效果。二是大词小用，甚至在俚俗的白话中夹杂庄重的文言词汇，造成亦庄亦谐的语言特点，比如“夫文童者，将来恐怕要变秀才者也”，“这样满脸胡子的东西，也敢出言无状么”，“阿Q尤其‘深恶而痛绝之’”，“一上口碑，则打的既有名，被打的也就托庇有了名”。三是反话正说，比如“优胜记略”“续优胜记略”，其实阿Q除了欺负小尼姑得了胜利，其他都是败绩，更准确地说，不是优胜，应是劣汰，又如“阿Q‘先前阔’，见识高，而且‘真能做’，本来几乎是一个‘完人’了，但可惜他体质上还有一些缺点”，“如是等等妙法”。四是用陌生化的语言形式彰显人物的滑稽，比如“他于是发生了回忆，又发生了敌忾了”，“发生”与“回忆”、“发生”与“敌忾”这种语言搭配本就是反常的，叙述者借助这种反常的语言形式来表现阿Q的“忘却”“回忆”“敌忾”不过是自欺欺人。五是用白描手法呈现人物荒谬的思想与言行，这在前文已提到很多。

叙述者多处运用反讽的语言形式表达对国民劣根性的批判，而批判的文字背后又是作者内心寂寞的悲哀。如果一直用“精神胜利法”应对世界的种种，不断地将各种失败的屈辱和痛苦变成精神上的自满自足，那么，这样的民族将永远“胜利”，将永远不会发愤图强；如果一直用“忘却”应对屈辱，那么，这样的民族将永远不会“知耻而后勇”；如果一直欺软怕硬，那么，这样的民族将永远是“欺负弱者的弱者”。如果不改变国民的劣根性，这样的民族就是没有希望的。鲁迅写这篇小说就是要通过“呐喊”唤醒广大沉睡着的民众，试图改变他们的精神，试图促使他们自新自强。

三场庭审 老瓶新酒
——解读《小二黑结婚（节选）》

《小二黑结婚》是一部中篇小说，共十二小节。小二黑结婚是这篇小说的叙事主线。在这条主线上，这十二小节可以分为两个部分，第一至五节为一个部分，第六至十二节为另一个部分。

第一至五节是“花开五朵，各表一枝”。所谓“花开五朵”是指这五节依次写了二诸葛、三仙姑、小芹、金旺弟兄、小二黑的往事；所谓“各表一枝”是指这五节大体是每一节写一个人物的故事（第一节既写了二诸葛，又写了三仙姑）。这五节概述了五个主要人物的过往典型事件，每一节的概述中加入一两处典型言行的刻画，呈现了每个主要人物的形象特征，特别是这些人物的思想观念。这五节还交代了小二黑与小芹的爱情缘起（第三、五节）。第三至五节依次交代了过往生活中的三处矛盾冲突：金旺想调戏小芹，遭到小芹的反抗，金旺怀恨在心（第三节）；金旺弟兄横行乡里，村民敢怒不敢言（第四节）；二诸葛反对小二黑与小芹的婚事，且强行给小二黑安排了童养媳（第五节）。这五节分述了若干个故事片段，以结尾句为纽带构建前后两个小节的关联，通过结尾句中的人物开启下一小节的话题。这五节形成了五条故事线，这五条故事线最终在第六节汇聚到小说的主线，可谓“五线合一”。这部分内容既是在塑造人物，也是为小说的主体部分小二黑结婚交代必要的背景，设置必要的伏笔（比如两个神仙的“忌讳”）。

第六至十二节是小说的主体部分，是一个较长篇幅的完整的叙事，统编高中语文教材节选了第九至十二节。第六至十二节符合一般的故事结构，有发端，有矛盾冲突，有动作的上升线，有高潮（突转），有结局，构成了一条叙事的弧线。第六至九节以时间为序叙述小二黑结婚所遇到的种种阻碍，是单线推进。小说的叙事主线在第十节开头又分解为三条支线。“第二天天不明就起程往区上走，走到半路，远远看见大黑、三个民兵已都回来了，还来了区上一个助理员、一个交通员。”这个句子统领了三条支线。这个交通员先是传唤二诸葛，引出二诸葛在区公所的故事（第十节“恩典恩典”）；再是传唤三仙姑，引出三仙姑在区公所的经历（第十一节“看看仙姑”）。区上的助理员引出刘家峧村民集体揭发金旺弟兄的会议（第十二节“怎么到底”）。如果说前五节与第六至九节的叙事结构是“五线合一”，是“花开五朵，各表一枝”，那么第六至九节与第十至十二节（前半部分）之间的关系是“一线三分叉”，是“花开三朵，各表一枝”，最后以“小二黑成婚”收束三条支线，三条支线再次合一。这三条支线主要写区政府处理“小二黑结婚”这桩官司的故事，这些故事有些类似于庭审。当时抗日根据地的基层政府有一定的司法职能，因此会出现三场“庭审”。当然，这三场“庭审”是特定历史背景中的“庭审”，是打双引号的“庭审”，与今天真正意义上的司法庭审还是有一定的差异，但是小说中的三场“庭审”中依然有司法庭审程序中的一些典型环节，比如传唤（文中叫“添传”）、调查、辩论、判决。作者在讲述三场“庭审”的过程中进一步塑造人物、表现主题。因此，解读第十至十二节，可以思考如下问题：

小二黑结婚的阻碍有哪些？这些阻碍产生的原因是什么？

小二黑与小芹是如何抗争的？抗争的言行反映了他们怎样的思想观念？

三场“庭审”分别有哪些人参与，经历了哪些环节，主要争议是什么？人物各自的表述是什么？这些言语反映了人物怎样的思想观念？这些言语的冲突反映了什么？

小二黑结婚引发的冲突是如何解决的？这引发了哪些变化？这些变化又反映了什么？

小二黑结婚有三重阻碍。一是二诸葛的反对，因为他认为小二黑与小芹命相不合且三仙姑名声不好。二是三仙姑的反对，因为“小二黑这个孩子，在三仙姑看来好像鲜果，可惜多一个小芹，就没了自己的份儿”，而且她要将小芹嫁给一个退职的军官做续弦，可以得到一大笔彩礼。三是金旺弟兄两次欺负小二黑与小芹，一次是“斗争会”，一次是“拿双”，因为金旺当初想调戏小芹，未果，总想设法报仇。这三组矛盾冲突推动了叙事的发展进程。“拿双”之后，三仙姑找二诸葛吵架，又进一步激化了矛盾冲突。

面对这些阻碍，小二黑与小芹奋力反抗。小二黑与二诸葛抗争，父子俩吵了几天，小二黑始终不承认他的童养媳。小二黑与金旺弟兄抗争，“斗争会”上小二黑“嘴硬到底”，当着村长的面，反问兴旺“无故捆人犯法不犯”；金旺弟兄“拿双”，小二黑挣扎了一会儿，还对二诸葛说：“爹！你不用管！送到那里也不犯法！我不怕他！”小芹与三仙姑闹了起来，将彩礼扔了一地；“斗争会”上受到不公平的对待，拉着金旺的老婆找村长评理；主动找小二黑商量，准备到区上登记结婚。两个主人公抗争的言行反映出他们的思想观念——崇尚自由幸福的爱情，不受旧观念约束；相信正义的力量，不向恶势力屈服。

第一场“庭审”的参与者是区长、二诸葛、小二黑、小芹，地点是区公所。

“庭审”之前，二诸葛见小二黑与小芹坐在一条板凳上，就手指着小二黑骂他“闯祸东西”“不要脸”，这种价值判断源于二诸葛的婚姻观念——青年男女之间私自订婚是违背规矩与礼法的，是会被周围人耻笑的。区长喝止，二诸葛才不吱声。这次“庭审”类似于今天的民事纠纷的调解，以对话描写为主。这场“庭审”可以分为三个环节，一是调查，二是辩论，三是裁决。

调查环节的话题是核实三个信息：一是二诸葛的大名，二是二诸葛收留童养媳的事实，三是童养媳的年龄。

辩论环节的话题是三个争议：一是童养媳是否可以订婚，二是如何安置童养媳，三是小二黑与小芹是否可以订婚。前两个争议主要集中于童养媳与小二黑的婚事，第三个争议集中于小二黑与小芹的婚事。

关于第一、二个争议，有两轮对话。在第一轮对话中，区长的意见是“把人家退回娘家去"，其法律依据是"女不过十五岁不能订婚"；二诸葛的回应是两条，一是找不到童养媳的父亲，无法退亲，二是乡间多有七八岁订婚的事，他希望区长法外开恩。在第二轮对话中，区长针对童养媳问题又提出退婚的主张，其法律依据是"凡是不合法的订婚，只要有一方面不愿意都得退"，他还征询了当事人小二黑的意愿；二诸葛的回应是"我这是两家情愿"，还呵斥小二黑"由你啦"。

关于第三个争议，也有两轮对话。第一轮对话是二诸葛与区长的对话，二诸葛反对小二黑与小芹的婚事，理由是"命相不对"。第二轮对话是二诸葛警告小二黑："你不要糊涂了！这是你一辈子的事！"

区长依法的裁决是三条：一是童养媳不能订婚，二是二诸葛将童养媳收作养女，三是小二黑与小芹可以订婚。

语言反映一个人的思想观念。二诸葛的言语表述反映出他的三种旧观念。一是包办婚姻，家长做主，儿女没有婚姻的自主权。"我这是两家情愿"，他说的是"两家"，不是小二黑与童养媳"两人"；当小二黑说"不愿意"，他瞪了小二黑一眼，还说"由你啦"。这些言辞表明在二诸葛心里婚姻是两个家庭（或家族）的事务，愿不愿意取决于婚姻当事人家长，而非婚姻当事人双方。"脾气又上来了""瞪了小二黑一眼"说明二诸葛的这种思想观念是根深蒂固的。二是奴性思想。二诸葛对法律的称谓是"官家规定"，三次请求区长"恩典恩典"，说明他没有人民当家做主的意识，没有民主法治的意识，他眼中的法律不是根据地人民共同管理自己公共事务的约法，而是官家统治老百姓的规定；他缺乏平等的意识，对权力顶礼膜拜、奉若神明，对权威是畏惧并屈服的（第八节"拿双"中，二诸葛给兴旺下跪求饶），他眼中的区长不是人民共同选举产生的公仆，而是封建时代的老爷；他没有守法的意识，有的是"法不责众"的意识，"官家规定"是一回事儿，"乡间"的规矩又是另一回事儿，有的只是奉承和附庸"权贵"，违背法律以谋得自己的私利，他三次强调"请区长恩典恩典"（这句话脱胎于封建时代的"请老爷恩典恩典"），这句话甚至成为第十节的标题。三是天命观。二诸葛认为天命无所不能，一切事物均在其支配之下，一切事物均可视为天命启示的征兆，他占吉凶、卜祸福、顺天命以定人事，"命相不对"

就是这种观念的外显。二诸葛的言语表述也反映出作者看到在当时的抗日根据地这种思想观念有一定的普遍性（“乡间……多着哩”），也折射出当时农村一些落后的风俗，比如包办婚姻、收养童养媳、婚配双方讲究生辰八字相合。

区长反复强调“给他订婚不由他，难道由你啦”，“如今是婚姻自主，由不得你了”，“其实只要人家两个人愿意，你愿意不愿意都不相干”，区长的言语表述反映出抗日根据地的婚姻法的相关条文，体现的是婚姻自主的新观念。

二诸葛对小二黑说：“二黑！你不要糊涂了！”区长道：“老汉！你不要糊涂了！”两个“糊涂”说明二诸葛与区长的辩论实则反映了新旧两种思想观念的碰撞。

第二场“庭审”的参与者是区长、三仙姑、小芹，地点是区公所。

三仙姑的包办婚姻观念、奴性思想（“区长老爷，你可要给我做主”）与二诸葛相似，但在“庭审”之前，三仙姑的表现与二诸葛截然不同。二诸葛是一夜没睡，事先就派大黑去打听小二黑的情况，自己是天不明就赶往区里；三仙姑是回去就睡，第二天起得很迟，于福问她是否要打听小芹的事儿，她竟然拒绝了，交通员来传唤她，她竟然还倍加梳妆打扮。因为两个人的动机不一样，二诸葛是心疼儿子，三仙姑是因为小芹吃亏而高兴。

第二场“庭审”主要有两个环节，一是调查，二是裁决。调查环节，区长与三仙姑大约有六轮对话，话题是确认六个事实——三仙姑的身份、年龄、是否给小芹婚配、聘礼的金额、聘礼的实物、是否与小芹商量过，确认这些事实后，再传唤小芹，确认小芹的意愿。裁决环节，区长给三仙姑讲了婚姻自主的法令，说小芹与小二黑订婚合法，吩咐她退还吴家的聘礼。不同于上一场“庭审”，这场“庭审”几乎没有辩论，三仙姑是一一答应。

二诸葛有辩论，三仙姑几乎没有辩论，除了区长的依法判决与耐心解释这一原因之外，还有两个重要原因。原因之一是二诸葛与三仙姑在有些观念与动机上不一样，二诸葛以“命相不对”阻碍小二黑的婚事，是因为他真的相信神灵，是心疼儿子；三仙姑以“前世姻缘”为由阻碍小芹的婚事，是因为她利用神灵（三仙姑并不信神，她装神弄鬼多是为了牟利），是图小芹的聘礼，三仙姑对小二黑并不反感。原因之二是舆论的压力令三仙姑“羞愧难当”。在这场“庭审”中，作者写区长与三仙姑之间的对话不多，倒是花了很多笔墨写周围人对三仙姑打扮的议论及忌讳的揭短：一是区长误认三仙姑为他人之后对她打扮与“装神做鬼”的批评；二是一个十来岁小闺女的嬉笑；三是邻近的女人们跑来看热闹，唧唧哝哝，评头论足；四是交通员的故意奚落；五是院里的人们对母女俩打扮的褒贬；六是有人讲“米烂了”的典故。这股舆论压力冲击了三仙姑的内心，她当时实在羞愧难当——“三仙姑半辈子没有脸红过，偏这会儿撑不住气了，一道道热汗在脸上流”，“三仙姑只听见院儿里人说‘四十五’‘穿花鞋’，羞得只顾擦汗，再也开不得口”，“这时三仙姑恨不得一头碰死”。

因此，两场“庭审”，写法不同，二诸葛、三仙姑旧有的思想观念都受到冲击，有些冲击是相似的，有些冲击是有差异的。

第三场“庭审”的参与者是区上的助理员、村长、刘家峧的群众，地点是庙里，主要环节是调查金旺弟兄横行霸道的证据。县里的裁决是叫金旺弟兄赔偿损失，又判了十五年徒刑。这部分的矛盾冲突是村长请大家检举金旺弟兄的作恶事实，但相当部分群众有顾虑，担心扳不倒金旺弟兄，反而被报复。一个年轻人的发言点醒了大家——“我从前没有忍过？越忍越不得安然”，他的率先揭发更是激起了大家的勇气。

小二黑结婚引发的冲突最终得到了完满的解决，坏人被严惩，小二黑与小芹可以合法订婚。这一事件还引发了三个变化：一是刘家峧群众真正当家做主，重新改选了村干部，建立了新的地方政权；二是三仙姑换了打扮，撤了香案；三是二诸葛不好意思再卖弄他的占卜术。这些变化表明刘家峧群众的政治觉悟提高了，以二诸葛、三仙姑为代表的一些农民的旧有思想观念发生了转变。

小二黑与小芹终成眷属，夫妻俩还戏仿二诸葛、三仙姑的两句话——“命相不对”“前世姻缘”。这一戏仿被淘气的孩子们听窗学会了，被孩子们转换成二诸葛、三仙姑的新绰号。如果说“不宜栽种”“米烂了”这两个话柄反映的是“天命观”在日常生活中的荒唐表现，那么“命相不对”“前世姻缘”反映的是“天命观”在婚姻生活中的荒唐表现。语言往往承载了一个社群的生活记忆、思想观念，“命相不对”“前世姻缘”这两句话就承载了刘家峧这个社群的一段生活记忆与思想观念，借着二诸葛、三仙姑在儿女婚事上的种种荒唐表现出来。

这两句话成为两个年轻人的戏仿，成为小孩子们为两位“神仙”设定的新绰号，这反映了刘家峧新一代农民开始摒弃旧有的“天命观”“婚姻观”，接受了新的思想观念。

这篇小说揭示了当时根据地农村中旧的思想观念与新的思想观念的冲突，表现了实行民主改革、移风易俗的重要性。在当时的社会历史背景下，这篇小说预设的相当一部分读者（或听众）是根据地的农民。在不说教的情况下，如何让当时的农民接受这些新观念呢？作者运用了一些写作策略。

第一，小说预设的部分文化观念、审美趣味还是符合农民的欣赏口味的，比如“善有善报，恶有恶报”“邪不胜正”“有情人终成眷属”“青天大老爷为民做主”“好事多磨”“大团圆的喜剧结局”。小说主人公小二黑的原型叫岳冬至，是民兵小队长，因与一名叫智英祥的俊女子自由恋爱，被几个把持村政权的坏人以“搞腐化”的“罪名”迫害致死，最后虽然冤案得以平反，但是周围人仍不认同这种自由恋爱。作者没有将这个素材写成一个发人深省的悲剧，而是写成了一个接近农民已有认知与审美趣味的喜剧，原因之一可能是为了达到宣传的效果。小说中还特别融入了“英雄配佳人”的桥段，小二黑被设定成一个英雄的形象，枪法好，长相俊，人聪明，有豪气，小芹被设定成一个正直、刚烈的美女形象，“小芹今年十八了，村里的轻薄人说，比她娘年轻时候好得多。青年小伙子们，有事没事，总想跟小芹说句话。小芹去洗衣服，马上青年们也都去洗；小芹上树采野菜，马上青年们也都去采”，“实际上却不跟人乱来”，“小芹拉着妇救会主席也来找村长（评理）”。第二，小说描述了很多农民熟悉的生活细节、风俗习惯，比如做捞饭、求神问病、场院里吃饭、听窗。第三，小说尽量用短句子，多用农民熟悉的语汇与表达方式。小说的语汇接近农民的语料库，就是接近农民的生活经验与认知水平。第四，作者采用说书的结构架构小说，设计故事框架和情节，五线合一，一线三分，首尾圆合，用扣子（悬念）、跌宕吸引读者。

这些写作策略是传统评书中比较常见的，是“老瓶”，小说试图表达的思想观念是“新酒”，作者巧妙地使用“老瓶”装“新酒”，借助农民喜闻乐见的艺术形式向农民传递新的思想观念。这是作者比较高明的地方。

双层叙述　两重冲突
——解读《装在套子里的人》

统编教材的编写者对《装在套子里的人》做了较多的删改。本文解读的对象是契诃夫的原文，选用的是汝龙的译本[①]。

《装在套子里的人》采用双层叙述结构（外层故事 + 内层故事）。外层故事的叙述者是故事外叙述者，是一个非人格化的叙述者，这个叙述者以第三人称摄像式视角叙述了误了时辰的猎人们（兽医伊万·伊万内奇和中学教师布尔金）在村长普罗科菲的堆房里过夜时发生的故事。内层故事的叙述者是中学教师布尔金，布尔金以第一人称体验性视角叙述了别里科夫的故事，内层故事的受述者是兽医伊万·伊万内奇。内层故事中叙述了不少冲突，比如别里科夫与漫画创作者之间的冲突、别里科夫与科瓦连科之间的冲突，叙述者用了较多的篇幅叙述别里科夫与科瓦连科之间的冲突，这些冲突可以视作第一重冲突。外层故事中叙述了布尔金与伊万内奇之间的冲突，这两个人之间的冲突可以视作第二重冲突。因此，解读这篇小说的核心问题是：作者为什么要给这篇小说设定双层叙述结构与双重矛盾冲突？解决这个核心问题的下位问题具体如下：

1. 在内层故事中出现了哪些人物？他们之间是什么关系？
2. 别里科夫的故事分为几个部分？在每个部分中别里科夫有哪些

① （俄）契诃夫著《契诃夫小说全集》，汝龙译，人民文学出版社 2016 年版，第 10 卷，第 198—212 页。

反常的表现，反映了他怎样的性格特征或生命状态？现实生活的种种刺激引发了他哪些生理变化？这几个部分之间是什么关系？作者借助这些关系想表达什么？“我们埋葬了别里科夫，可是另外还有多少这种套中人活着，将来也还不知道会有多少呢”，这句话意味着什么？

3. 被辖制的人们有哪些反常的表现？他们的思想认识是什么？他们有哪些共识，反映了怎样的社会现实？

4. 瓦连卡与当地人形成了哪些对比，反映了怎样的社会现实？漫画的创作者与别里科夫之间发生了哪些冲突？科瓦连科与别里科夫之间、与教师们之间发生了哪些冲突，反映了怎样的社会现实？

5. 内层故事的叙述者布尔金对故事里的人与事持什么看法？内层故事的受述者伊万内奇对故事里的人与事持什么看法？布尔金与伊万内奇之间发生了哪些认识上的冲突？这些冲突意味着什么？

6. 作者设定布尔金的出场方式、描述布尔金眼里的夜景及伊万内奇的难以入眠，其用意何在？

7. 双层叙述结构之间是什么关系？双重冲突之间是什关系？作者借助这些关系想表达什么？

内层故事的主人公是别里科夫，次要人物有学校的教师们、校长太太、教师们的太太、全城人（比如教士们）、厨子阿法纳西、科瓦连科、瓦连卡、漫画的创作者等。从社会关系的角度看，别里科夫与大多数人是同事关系，他与阿法纳西是主仆关系，他与瓦连卡差一点成为夫妻。从思想影响的角度看，别里科夫可以视作一类人，学校的教师们、校长太太、教师们的太太、全城人（比如教士们）可以视作另一类人，这两类人之间的关系是辖制与被辖制的关系；别里科夫与科瓦连科之间是辖制与反抗的关系，他与漫画的创作者之间也是辖制与反抗的关系。

别里科夫的故事可以分为两个部分。别里科夫的“恋爱”经历是一个完整的事件，可以分为一个部分，即从“你猜怎么着，这个希腊语教师，这个套中人，还差点结了婚”至“我们从墓园回来，心绪极好”。在这之前所写的是别里科夫的常态生活，可以分为一个部分。这个部分没有一个特别完整的事件，主要是写了大量的日常生活细节。这些日常生活细节可以归为两类：一类是别里科夫参与社会公共生活的表现，另一类是他的私生活的表现。

第一部分写别里科夫日常生活的细节。在参与社会公共生活时，别里科夫的反常表现是极力把自己装在套子里。他制造的套子有两类：一类是物质意义上的套子，比如套鞋、雨伞、棉大衣、雨伞套子、怀表套子、削铅笔的小刀的套子、衣领、黑眼镜、羊毛衫、棉花、出租马车的车篷等，另一类是精神意义上的套子，是带有隐喻性质的套子，比如古代语言，又如法令、常规、规矩。别里科夫的反常表现还呈现为极力辖制周围人，试图把他们也装在精神意义上的套子里：在遇到违背法令、脱离常规、不合规矩的事的时候，在教务会议上，他总要垂头丧气，总要重复他的口头禅——“千万别闹出什么乱子来”，他甚至迫使教师们开除了两个学生；他有一种古怪的习惯，到教师们的家里访问，一言不发地坐上一两个钟头，好像考察什么；他辖制全城的人，导致全城人的生活都死气沉沉；他经常去上司那里告密（后文科瓦连科称他为“告密者”“犹大”）。别里科夫这些反常表现的动机是为了隔绝人世、躲避现实生活、维持现行的秩序，这些反常的表现反映出他性情孤僻、因循守旧、惧怕变革、奴性十足的个性特点。在自己的家中，在私生活的状态中，他依然将自己装进套子里，此时的套子既有物质意义上的套子，比如睡衣、睡帽、护窗板、门闩、帐子、被子，又有精神意义上的套子，比如一整套各式各样的禁条和忌讳。他还有一系列战战兢兢的反常表现——生怕会出什么事，生怕阿法纳西来杀他，生怕小偷溜进来，然后他就通宵做噩梦。这些反常表现反映出他的病态心理——疑神疑鬼、焦虑妄想，反映出他极端无趣、消极萎靡的生命状态。

第二部分写别里科夫的“恋爱”经历。周围人努力撮合别里科夫与瓦连卡的婚事，瓦连卡的个人条件不错，而且她是第一个待他诚恳而亲热的人，面对这些情形，别里科夫产生了结婚的念头，但是他的反常表现是不仅没有改变原先的生活方式，而且更深地缩进套子里，总是担心婚后会闹出乱子，所以他没有求婚，只是一个劲儿地拖延。瓦连卡与弟弟科瓦连科骑自行车出游，面对这一情形，别里科夫的反常表现是脸色从发青变成发白，呆呆地站住，判定此事不成体统，然后放弃郊游，转身回家。科瓦连科虽然不干涉姐姐的婚事，但是他痛恨别里科夫，无法忍受别里科夫，面对这一情形，别里科夫的反常表现是主动上门找科瓦连科，不仅通过解释漫画事件来标榜自己是正人君子，而且以前辈的身份向科瓦连科提出了一系列“忠告”，比如骑自行车是不成体统的，不能穿花衬衫出门，要尊敬当局，试图将科瓦连科也塞进精神意义上的套子里，遭到驳斥后，还说要去上司那里告密。科瓦连科将他推下楼梯，瓦连卡正好经过，误以为是别里科夫自己摔的，忍不住扬声大笑，面对这些情形，别里科夫的反常表现是狼狈逃跑，他到家后撤去瓦连卡的照片，躺在床上再也没有起来。爱情本是人们所追求的，但是别里科夫却主动放弃了爱情，因为瓦连卡的活泼性情与他的个性格格不入，瓦连卡姐弟超越常规的行事风格、思考方式与他的观念龃龉，瓦连卡的扬声大笑更是击碎了他脆弱的虚荣心。这些反常表现及其原因更是反映出别里科夫保守、僵化的思想观念已经扭曲了他的人性，令他失去了最后一丝鲜活的生命力。

现实生活的种种刺激又引发了他一系列的生理变化。参与社会公共生活时，他总是受到现实生活的刺激与惊吓，他的生理反应是六神不安、垂头丧气、心慌意乱；在私生活中，他的战战兢兢又令他通宵做噩梦，醒来之后脸色苍白；结婚的决定对他起了像害病一样的影响，他变得更瘦更白，六神不安，通宵睡不着觉；漫画的传播给他留下了难堪的印象，他脸色发青，比乌云还要阴沉，说话时嘴唇都在发抖；瓦连卡姐弟骑自行车的举动又刺激了他，他的脸色从发青变成发白，“老是心不定地搓手，打哆嗦，从他的脸色看得出他身体不舒服，还没到放学的时候，他就走了，这还是他生平第一回呢”；科瓦连科的推搡与瓦连卡的扬声大笑结束了别里科夫的人间生活。

第一部分描述了别里科夫的诸多日常细节，设定了两个生活场景：他的社会公共生活和他的私生活。第二部分描述了别里科夫经历的一个完整的事件，设定了四个生活场景：同事们撮合他和瓦连卡的婚事，有人用漫画讥诮他，科瓦连科批驳他并推搡他，瓦连卡笑他摔倒时的丑态。变的是生活场景，不变的是别里科夫的守旧、僵化、努力维持现行秩序的处事方式，可见他的病态的思想观念已深入骨髓。在这些生活场景中，别里科夫受到的刺激越来越大，从日常生活中同事、学生、城里人的一些违背法令、脱离常规、不合规矩的事，到私生活中的庸人自扰，再到结婚的决定让他像害病，再到漫画事件的讥诮，再到科瓦连科的反抗，最后到瓦连卡的扬声大笑。别里科夫的反常表现也越来越荒诞，而这些反常表现反噬他自己生命的力量也越来越大，他心神愈发不安，睡眠质量不断下降，脸色越来越差，直至一病不起、一命呜呼。作者借助情节之间的层进关系彰显出这种病态的思想观念、处世方式不仅吞噬周围人的生命活力，还反噬自我的生命活力，促使自我的生命走向灭亡。作者还写道："在别里科夫这类人的影响下"，"我们埋葬了别里科夫，可是另外还有多少这种套中人活着，将来也还不知道会有多少呢"。戏份极少的厨子阿法纳西也说过类似的话，"眼下啊，像他们那样的人可真是多得不行"。这意味着别里科夫不是个例，而是一个类型，别里科夫死了，但是别里科夫的思想观念、处事方式还将存活着，这是人性中极为可悲的一部分。

被辖制的人可以大致分为两个群体：一是学校的教师们，二是城里人（比如教师们的太太、教士们）。学校的教师们面对别里科夫的辖制，其反常表现是被他降服，被迫作出让步——开除了两个学生。教师是社会的良知，是学生的精神导师，小说中的教师们也认为自己是"有思想的正派人，既读屠格涅夫，又读谢德林"，是接受过新思想的知识分子，但是他们却顺从了别里科夫的辖制，甚至间接帮助别里科夫去辖制更多的人（典型事件是开除了两个学生），将自己从教师蜕变成官僚，将学校蜕变成警察局，因为他们认识到得罪别里科夫之流会伤及自身的利益。城里人，比如教师们的太太、教士们，面对别里科夫的辖制，其反常的表现是害怕、屈服，放弃了许多有趣味、有活力、有意义的生活——"不办家庭戏剧晚会"，"不敢吃荤，不敢打牌"，"不敢大声说话，不敢发信，不敢交朋友，不敢看书，不敢周济穷人，不敢教人念书写字"，因为他们也认识到得罪别里科夫会伤及自身的利益。这些人的共识是自身的利益比自由、正义、革命民主理想、活泼健康的生活更重要，明明厌恶别里科夫之流，厌恶别里科夫那样的思想观念、处事方式，但是为了维护自己的利益，依然要假惺惺地去迎合，放弃有趣味、有活力、有意义的生活追求，甘愿活得死气沉沉。这一群体的共识反映了可悲的社会现实。而这种社会现实在别里科夫活着的时候存在了十五年之久，在别里科夫死后依然延续着——“生活又过得跟先前一样，跟先前一样的严峻、无聊、杂乱了”。这也是人性中极为可悲的一部分。

而可悲的又不止于此。被辖制的人们几乎没有生活目标，几乎没有活力，连校长的命名日宴会也是死板板的、又紧张又沉闷的，不少教师甚至把赴命名日宴会也看作公差，但是在撮合别里科夫与瓦连卡这件事上却显得过分热情，“校长太太啦，学监太太啦，我们中学里的所有太太们，都活跃起来，甚至变得好看多了，仿佛忽然发现了生活目标似的”。这些人做出了一系列反常的表现：校长太太在剧院里订下一个包厢，邀请别里科夫与瓦连卡；布尔金在家里办小晚会，太太们要求一定要邀请别里科夫和瓦连卡；所有的人都开始游说别里科夫和瓦连卡结婚；大家向他道喜，做出一本正经的脸色说了各种俗套话。这一系列的反常表现暴露出这群人的无聊。正如叙述者布尔金所说：“在我们内地，由于闲得无聊的缘故，什么事没做出来过，多少不必要的蠢事啊！这是因为必要的事大家却根本不做……在我们这儿，由于闲得无聊，没事情做，照那样结了婚的，正有成千上万的先例呢。”

瓦连卡的热情活泼与当地人的死气沉沉形成了鲜明的对比。叙述者布尔金称瓦连卡是新的阿佛洛狄忒，将她的到来说成“我们忽然看见一个新的阿佛洛狄忒从浪花里钻出来”。这反衬出在别里科夫的辖制下当地生活的死气沉沉。

但是，这并不意味着没有反抗者。漫画的创作者是谁？作品中没有介绍。他显然是一个隐蔽的反抗者，用自己的画笔反抗别里科夫的辖制。而科瓦连科是公开的反抗者，他面对别里科夫的“忠告”，奋起反击，批驳他的卑劣、可笑、奴性，将他推下楼梯，他在公开场合也表现出对别里科夫的憎恶，用大量的实际行动反抗别里科夫之流的辖制，给别里科夫起了个绰号“蜘蛛”，穿花衬衫出门，骑自行车参加郊游……科瓦连科不仅与别里科夫发生冲突，还与当地的教师群体发生冲突，他公开批评这些教师对别里科夫之流的屈服、忍让、顺从，并表示要远离这群人，远离这种压抑的生活。原文中有一段科瓦连科的控诉：

“我不懂你们怎么能够跟这个告密的家伙，那副叫人恶心的嘴脸处得下去。

唉！诸位先生，你们怎么能在这儿生活下去啊！你们这儿的空气闷死人，糟透了！难道你们能算是导师，教师吗？你们是官僚，你们这儿不是学府，而是城市警察局，而且有警察岗亭里那股酸臭气味。不行，诸位老兄，我在你们这儿再住一阵，就要回到我的田庄上去，在那儿捉捉虾，教教乌克兰的小孩子念书了。我是要走的，你们呢，尽可以跟你们的犹大留在这儿，叫他遭了瘟才好！”

漫画创作者和科瓦连科与别里科夫之流的冲突，与被辖制者们的冲突，反映了社会上依然存在反抗的力量，人群中依然有人冒着自身利益受损的危险去追求自由、正义、活力向上的生活。这是人性中难能可贵的一部分。

内层故事的叙述者布尔金用了大量反讽的语言描述别里科夫，描述被辖制的人们，描述一个个荒诞的事件，表明他也厌恶别里科夫，不认同被辖制的人们，不认同这种无聊、无趣、压抑的生活。内层故事的受述者伊万内奇更是对别里科夫持否定态度，当他听到别里科夫要结婚，脱口而出一句“您开玩笑了”，当他得知别里科夫要结婚是事实，他说“哦，到了这一步，就应该拿掉他的套鞋和雨伞了”。而他在听故事的时候，他的插话中三次提到“问题就在这儿”。

“是啊，有思想的正派人，既读屠格涅夫，又读谢德林，还读勃克尔等等，可是他们却屈服，容忍这种事……问题就在这儿了。”

（布尔金说“确实，我们埋葬了别里科夫，可是另外还有多少这种套中人活着，将来也还不知道会有多少呢！”）“问题就在这儿。”伊万·伊万内奇说，点上了他的烟斗。

“问题就在这儿了，”伊万·伊万内奇又说一遍，“我们住在城里，空气污浊，十分拥挤，写些无聊的文章，玩‘文特’，这一切岂不就是套子吗？至于在懒汉、爱打官司的人、无所事事的蠢女人中间消磨我们的一生、自己说而且听人家说各式各样的废话，这岂不也是套子吗？嗯，要是您乐意，那我就给您讲一个很有教益的故事。”

第一次所说的问题指的是这些教师的屈服、忍让、顺从，第二次所说的问题指的是别里科夫之流长期存在的严峻现实，第三次所说的问题指的是人们无聊的生活及更多的“套子”。伊万内奇不仅表达了对别里科夫的厌恶，还表达了对社会现状的强烈不满。

伊万内奇还试图向布尔金讲一个“很有教益的故事”，但是布尔金的回应是“不，现在也该睡了”，“留到明天再讲吧”。

伊万内奇还指出了人们甘愿被辖制的原因——“你看着人们做假，听着人们说假话”，“人们却因为你容忍他们的虚伪而骂你傻瓜。你忍受侮辱和委屈，不敢公开说你跟正直和自由的人站在一边，你自己也做假，还微微地笑，你这样做无非是为了混一口饭吃，得到一个温暖的角落，做个一钱不值的小官儿罢了。不成，不能再照这样生活下去了”。他劝导布尔金改变这种生活，但是布尔金的回应是“算了吧，您扯到别的题目上去了”，“睡吧”。

伊万内奇与布尔金发生了意志上的冲突。伊万内奇希望改变这种思想观念、处世方式，追求新的生活，但是布尔金明知伊万内奇是对的，明知症结之所在，却依然为了自身的利益安于现状。这些冲突意味着人们认识到了问题，但是囿于自身的利益，依然会无视问题，依然会安于现状。这是人性中更为可悲的一部分。

作者设定布尔金的出场方式是“布尔金躺在房里的干草上，在黑暗里谁也看不见他”，回避外貌描绘，隐藏外层故事叙述者对内层故事叙述者布尔金的情感态度，让读者觉得外层故事的叙述者是以一种中立的态度在描写布尔金这个人物，也引导读者以中立的态度看待布尔金以及布尔金的叙述。这样写，旨在与读者拉开一定的距离，让读者自主思考故事中的人与事。当布尔金叙述完故事后，作者让他走到台前，呈现了他的外貌——“这个中学教师从堆房里走出来。他是一个矮胖的男子，头顶全秃了，留着一把黑胡子，差不多齐到腰上”，借助“矮胖”“头顶全秃了”这些细节传递出外层叙述者对布尔金的情感倾向，逐步向读者透露作者的情感判断。这样写，旨在逐步拉近与读者在情感和认知上的距离，巧妙地引出后文对布尔金的批判，引发读者的共鸣。

作者透过布尔金的眼睛描述了乡村的夜景，再次用到了“套子”这个隐喻。

这时候村子给夜色包得严严紧紧，躲开了劳动、烦恼、忧愁，安心休息，显得那么温和、哀伤、美丽，看上去仿佛星星在亲切而动情地瞧着它，大地上不再有坏人坏事，一切都挺好似的。

在布尔金眼中，夜色就是一个套子，遮蔽了一切真实存在的问题，显出一种虚假的温和、哀伤、美丽，布尔金连声赞叹“多好的月色”，他陶醉在这装在“套子”里的夜景。这样写，也暗示了“套子”的无处不在。而伊万内奇劝说无果，难以入眠，“伊万·伊万内奇不住地翻身，叹气，后来他起来，又走出去，坐在门边，点上烟斗”，作者借伊万内奇的表现暗示了自己对故事中一切可悲的人与事的忧虑。

作者借助内层故事叙述别里科夫之流的思想观念以及压抑的社会现实，借助外层故事发表对内层故事的看法，换而言之，作者是借助布尔金的嘴讲述别里科夫的故事，借助伊万内奇的嘴评论别里科夫的故事，以此巧妙地传递出作者对现实的批判与反思。作者借内层故事的一重矛盾冲突，表现别里科夫的辖制与科瓦连科的反抗，表达对别里科夫及被辖制的人们的不满，借外层故事的另一重矛盾冲突，表现伊万内奇的劝导、告诫与布尔金的置若罔闻，点出了人们甘于被辖制的思想根源及别里科夫之流持续存在的外部条件，揭示了这种情况难以改变的严峻现实，巧妙地深化了小说的主题。

诗歌

冲破一切　狂飙突进
——解读《立在地球边上放号》

“立在地球上放号”，这是日常的语言，是规范的语言。“立在地球边上放号”，这是创造性的语言，是诗的语言。它意味着抒情主人公具有超自然的力量，能挣脱地球强大引力的束缚，且能与地球并肩而立，还要放声呼号。它意味着抒情主人公是一个自由的人，是一个个性张扬的人，是一个试图引领众人前进的放号者。

“放号”是全诗的主线。

全诗共七行，可分为两个部分：第一至四行为第一部分，第五至七行为第二部分。

第一至四行可分为两个层次：第一、二行为第一层次，写北冰洋的晴景；第三、四行为第二层次，写太平洋的洪涛。

“无数的白云正在空中飘移”，这是日常的语言。“无数的波涛正在海中怒涌”，这是日常的语言。“无数的白云正在空中怒涌”，这是创造性的语言，是诗的语言。晴空中的白云的形态通常是稳定的、轻盈的，纵然有风吹动，白云通常也是悄无声息地移动、飘动。而诗人却将海中波涛怒涌的动态映射在晴空的白云上，赋予白云以强大的力量与巨大的动能，还赋予其愤怒的情绪，使之与北冰洋海浪汹涌的景象交相辉映，营造了一幅海天共振的奇异的画面。当然，这一句也可以反向理解为诗人将北冰洋上波涛汹涌的景象幻化为“无数的白云正在空中怒涌”。面对这第一幅奇异的画面，诗人发出了第一声呼号——“啊啊！好幅壮丽的北冰洋的晴景哟！”诗人讴歌强大的力量所引发的景象的壮丽。

“无限的太平洋提起他全身的力量来要把地球推倒。”这又是一句创造性的语言。太平洋也具有超自然的力量，他也可以摆脱地球引力的束缚，他也能与地球并肩而立，他还具有无限的巨大的力量，他还是一个生命（诗人用“他”指称太平洋）。太平洋有“人”的行动，有“人”的意愿，他的行动是“提起他全身的力量”，他的意愿是“要把地球推倒”。诗人用这句创造性的语言表现了太平洋也要冲破一切旧的束缚，毁灭一切旧的东西，创造新的天地。太平洋就是抒情主人公的情感对应物。面对这第二幅奇异的画面，诗人发出了第二声呼号——“啊啊！我眼前来了的滚滚的洪涛哟！”诗人讴歌这挣脱一切束缚、毁灭一切旧事物的强大力量。

啊啊！不断的毁坏，不断的创造，不断的努力哟！
啊啊！力哟！力哟！
力的绘画，力的舞蹈，力的音乐，力的诗歌，力的律吕哟！

诗人在第二部分转向抒情。“不断的毁坏，不断的创造，不断的努力”，诗人将三个结构相似的短语列成一组排比，赞美“力”的巨大作用——毁坏旧的，创造新的，不断努力向上。“力哟！力哟！”诗人采用独语成句的形式，兼用反复的修辞格，发出对“力”的咏叹。“力的绘画，力的舞蹈，力的音乐，力的诗歌，力的律吕”，诗人将五个结构相似的短语列成一组新的排比，讴歌“力”的多样态的创造性，构建起一个融合多种艺术形态的全新的美的世界——力产生的绘画、舞蹈、音乐、诗歌、律吕交融在了一起。这三行之中嵌入两个“啊啊”，尾缀了四个“哟”，抒发了强烈的赞美之情。

诗歌的第一部分多是描述、赞叹具象化的“力”，侧重于“力”的强度、动能。诗歌的第二部分多是讴歌抽象化的“力”，侧重于“力”的作用、多样态的创造性。这两个部分构成了意义上的推进性，从具象化的“力”转向抽象化的“力”，且拓宽“力”的样态。诗人借助这样的结构安排，不仅赞美了这种冲破一切束缚、追寻自由的“力”，还讴歌了这种“力”的毁灭性、创造性及其发展的无限可能性。而诗人所赞美的“力”其实就象征了诗人心目中理想的人。诗人心目中理想的人应是冲破一切旧制度、旧文化、旧观念束缚的人，是自由的人，是个性得到充分发展的完美的人，是拥有一种能够影响别人的创造性的力量的人。而正是这样的人“立在地球边上放号”。

诗歌的第一部分多为长句、散句，嵌入两个“啊啊”，尾缀了两个“哟”；奇数行是陈述句，偶数行是感叹句，奇数行是画面的叙述，偶数行是对画面的感叹。诗歌的第二部分多为短句、整句，嵌入两个“啊啊”，尾缀了四个“哟”；三行都是感叹句，而且是连用了六个感叹句。语言形式的转换意味着行文思路的转换。这首诗歌从长句、散句转为短句、整句，从主谓宾相对完整的句子转为独语成句的形式，从第一部分的叙述与感叹交错转为第二部分密集的感叹，表明诗歌的节奏越来越快，诗人的情感越来越澎湃激扬，形成了一股“火山喷发式”的激情。

这是一首新诗，写于 1919 年 9、10 月间。这首诗虽然是自由体，但是节奏强劲，层层推进，气势汹涌，展现了一幅壮丽雄奇、奔突激进的画面，彰显了一种狂飙突进的时代精神。

苦难中的拔擢　孤独中的超越
——解读《峨日朵雪峰之侧》

《峨日朵雪峰之侧》的抒情主人公是“我”。“我”是一个攀登者。标题揭示了“我”所处的时空背景，“我”处在峨日朵雪峰山腰上的某一处，尚未到达山顶，处于攀越征程中的某一个时间点，尚未到达终点。“我”正是在这样一个特定的时空背景中抒发自己的感怀。

“我”的抒怀，共六个句子。

第一个句子是一个奇崛的长句，以冒号为界，分为两个部分。

第一部分是“这是我此刻仅能征服的高度了”。这个句子明示了“我”面对的现状——这个高度是“我”此刻能够征服的极限，是“我”与山海无穷的引力抗衡的结果，是远离“棕色深渊”并在此刻所能达到的高度。这个句子用一个“此刻”、一个“仅”，又暗示了“我”的理想——“我”绝不满足于此刻的高度，“我”将来还要继续与山海无穷的引力抗衡，还要超越此刻的高度。这个句子蕴藏了极大的张力，彰显了现实与理想之间的强烈冲突，表现了“我”高远的志向与不屈的精神。

第二部分是“我小心地探出前额，惊异于薄壁那边朝向峨日朵之雪彷徨许久的太阳正决然跃入一片引力无穷的山海”。这个句子写的是“我”惊异于落日的情形。但是，诗人是用陌生化的语言形式描绘这幅落日的画面，展现“我”独特的惊异的。

太阳象征光明，山海是“棕色深渊”。太阳的引力应是远远大于山海的引力，地球是绕着太阳转的。但是，诗人笔下的太阳却是“跃入一片引力无穷的山海”。山海，这“棕色深渊”，其引力反倒是无穷的；太阳，光明的象征，竟然跃入“棕色深渊”之中。这是极为陌生化的语言形式，展现了光明与山海深渊的变形、倒置、错位。光明与山海深渊的变形、倒置、错位，是“我”的惊异之一。

太阳在诗人笔下又是一个生命，有意识，有行动。太阳彷徨了许久，犹豫不决，是跃入这片引力无穷的山海，还是继续与山海的无穷引力抗衡，继续支撑下去，决不堕入这“棕色深渊”。太阳彷徨许久之后，放弃了与山海无穷引力的抗衡，没有继续支撑下去，“正决然跃入一片引力无穷的山海”。太阳的思想意识中蕴藏的强烈的矛盾冲突以及太阳的抉择，是“我”的惊异之二。

我小心地探出前额，
惊异于薄壁那边
朝向峨日朵之雪彷徨许久的太阳
正决然跃入一片引力无穷的
山海

诗人将这个长句子切分为五行，后三处分行，形成了三个特写镜头，动静相间，勾勒出一幅奇异的画面；而这每一处分行，又制造了悬宕，展现了“我”内心惊异变化的起伏过程。

第一部分与第二部分衔接于一个冒号。冒号的常见用途有八种，此处的用途是“用于需要解说的话语之后，表示下文是解说”。第二部分是对第一部分的解说。“这是我此刻仅能征服的高度了”，可能有多种原因，山路险峻，体力不支，等等，而此处，一个冒号，意味着最重要的原因是光明的消失。诗人用这种陌生化且充满多重张力的语言展现了“我”此刻的所见及独特的惊异。

第二个句子描述了石砾滑坡的声响。诗人用了一个隐喻，本体是“石砾不时滑坡，引动棕色深渊自上而下的一派嚣鸣”，喻体是“军旅远去的喊杀声”。“军旅远去的喊杀声”这个认知模型中有两个角色，一个是我方的军旅，另一个是敌人的军阵，工具是武器，活动是冲锋，目的是消灭敌人，喊杀声中凝聚了高昂的士气。“石砾”是渺小的，“棕色深渊”是庞大的。这个隐喻将“军旅远去的喊杀声”的认知模型映射在“石砾不时滑坡，引动棕色深渊自上而下的一派嚣鸣”上，揭示了“石砾”与“棕色深渊”之间激烈的矛盾冲突，展现了“石砾”以寡敌众的冲锋态势，彰显出“石砾”“虽千万人吾往矣”的气魄。“石砾”的滑坡，是“我”攀登时造成的，“石砾”引动“棕色深渊”自上而下的一派嚣鸣，是“我”的情感对应物，暗示了“我”与“棕色深渊”的关系——纵然这山海有引力无穷，“我”依然要与之抗衡；纵然“我”如石砾般滑落，“我”也要如军旅一般向“棕色深渊”发起冲锋；纵然敌众我寡，“我”引动的声响也要如军旅的喊杀声。诗人造了一个新词——“嚣鸣”，以此指称石砾滑坡时的声响，用了一个新奇的隐喻描述石砾的“嚣鸣”，表露“我”无畏的气概。

第一句与第二句衔接于一个词语——“山海”。“山海”是第一句结尾的一个词，却另起一行，且处于行首醒目的位置，同时，又与第二句的“石砾不时滑坡”同处一行，这样，“山海”既与前一行的太阳发生关联，又与同一行的石砾发生关联，构建起第一句与第二句之间的强烈的冲突——太阳正决然跃入一片引力无穷的山海，而“我”却还要继续与这引力无穷的山海抗衡，还要征服更高的地方，纵然滑坡也要如石砾般，向山海、向棕色深渊，发起冲锋。第一个句子中展现的是“我”的惊异，第二个句子中流露出的是“我”的豪气。

我的指关节铆钉一样楔入巨石的罅隙。
血滴，从撕裂的千层掌鞋底渗出。

第三个句子用隐喻，将“我的指关节”比作“铆钉”，“楔入巨石的罅隙”具象化地表现了“我”身处险境的艰难，展现了“我”苦苦支撑的不易。第四个句子用夸张，“血滴”一词用一个逗号隔开，凸显这个词语，“从撕裂的千层掌鞋底渗出”，表现“我”付出了沉重的代价。这两个句子都从触觉层面表现此刻“我”的痛苦。而“揳入”一词，凸显的是“我”痛苦的持久度，“撕裂”一词，则凸显了“我”此刻痛苦的强度。

第一句侧重于视觉，第二句侧重于听觉，第三、四句侧重于触觉，诗人从三个感官入手勾勒出“我”此刻的状态，多层次地展现了一个攀登者的内心世界，有惊异，有豪气，有痛苦。

第五句是个抒情句。句中的雄鹰、雪豹都是拥有高远志向、雄劲力量的生命形象，是与“我”志同道合的，是“我”理想中的自我形象的投射，是“我”攀登过程中渴望得到的同伴。“啊，真渴望有一只雄鹰或雪豹与我为伍”，道出了“我”此刻的孤独感。

第一至四句是一个层次，以叙述、描写为主，刻画“我”此刻的状态；第五句是一个层次，以抒情为主，倾吐“我”的心声：语言形式的转换，意味着“我”思想情感的转换。

第六句是一个特写。“在锈蚀的岩壁”是特写的背景，诗人用一个隐喻“锈蚀”写出了岩壁如金属般的坚硬质感及时间久远的沧桑感。“一只小得可怜的蜘蛛”，是特写的对象，它与“我”一样，是攀登者，它与“棕色深渊”的关系，在形体上是小与大、弱与强，如同“我”与“棕色深渊”的关系。这只“小得可怜的蜘蛛”就是此刻“我”的现实形象的投射，是“我”的情感对应物。它与我一同默享着这大自然赐予的快慰，“快慰”是此刻“我”的心境。“快慰”独词成行，是全诗的核心。攀登的过程中有惊异，有豪气，有痛苦，有孤独，但是这一切最终汇聚于“快慰”。“快慰”揭示了作者的人生追求——攀登中必有惊异，有苦难，有孤独，但是依然要攀登，因为攀登不仅仅是为了征服某个具体目标，而是为了自我意义的实现，攀登的过程本身便有意义，而苦难与孤独中的攀登，更是自我生命境界的拔擢与超越。

“但”是一个转折，承接前文的“真渴望有一只雄鹰或雪豹与我为伍”，虽然没有雄鹰或雪豹，但是有“一只小得可怜的蜘蛛”与“我”为伍，这番发现，是何等惊喜，与它共享大自然赐予的“快慰”，又是何其有幸。

整首诗的语言表现出强烈的陌生化效果，从视觉、听觉、触觉三个角度描述自我的状态，用新奇的隐喻、夸张及奇崛的长句、反常的分行，表现“我”

在特定时空中独特的生命感知。整首诗的语言又充满了内在的张力，这股语言的张力推动了“我”的情感状态的演进，从惊异，到豪情，到痛苦，到孤独，到快慰，展现了一个攀登者的生命体验与思考，表现了一个攀登者在苦难中的拔擢、孤独中的超越。

记忆的叠加　忧伤的缓释
——解读《再别康桥》

《再别康桥》这个题目的中心词是“再别”。第一次告别康桥，诗人写下了一首诗歌《康桥再会吧》（1922 年 8 月）。后来，诗人又写了一篇散文《我所知道的康桥》（1926 年 1 月）。这首诗、这篇散文与《再别康桥》之间构成了互文关系。这种互文关系意味着《再别康桥》中存在着两组时空关系：第一组时空关系是过去的康桥（青年求学时的康桥）与当下的康桥（重游时的康桥）之间的关联；第二组时空关系是康桥的世界与生活的世界之间的关联。前者意味着记忆的叠加、精神的溯源；后者意味着忧伤的缓释、心灵的安顿。因此，解读《再别康桥》需要思考的核心问题是：再别康桥中寄寓了哪些情愫？解决这个核心问题的下位问题具体如下：

过去的康桥承载了诗人的哪些情愫？

诗人呈现了当下的康桥的哪些画面？在每个画面中，记述了哪些物象或活动？诗人是怎样表现这些物象及物象之间的关系的？诗人是怎样表现这些活动的？诗人借助描述物象及活动的语言寄寓了哪些情愫？

诗人为什么要叠加这两段记忆？

康桥的世界与生活的世界是什么关系？诗人勾画再别康桥时的举动想表达什么？

诗人是如何安排诗歌的建筑形式的？诗人是如何用韵的？诗人借助这样的语言形式想表达什么？

诗人青年求学时在康桥生活了一段时间。他在那里有过一段美丽的邂逅，康桥承载了他理想中的爱情。康桥还承载了他的梦想——回归自然，追求纯美的精神。他在《我所知道的康桥》里写道："为医治我们当前生活的枯窘，只要'不完全遗忘自然'一张轻淡的药方，我们的病象就有缓和的希望……这是极肤浅的道理，当然。但我要没有过过康桥的日子，我就不会有这样的自信的。"①他在《康桥再会吧》里写道：

——但我如何能尽数，总之此地
人天妙合，虽微如寸芥残垣，
亦不乏纯美精神：流贯其间，
而此精神，正如宛次宛士所谓
"通我血液，浃我心脏"，有"镇驯
矫饬之功"……②

康桥是诗人"难得的知己"，是诗人"精神依恋之乡"，是诗人"生命的泉源"。③

在当下的康桥中，诗人呈现了两个画面，一是康河中的柳影青荇（第二、三节），二是康河上的撑篙寻梦（第四、五节）。

在第一个画面中，河畔的金柳被比喻为夕阳中的新娘；青荇（寓意爱情）是诗人的化身，"在康河的柔波里，我甘心做一条水草"。康河是有灵性的，康河的柔波将柳影与青荇交合在一起。这组物象及其关系是诗人主观情愫的客观对应物。诗人借助这样一个隐喻性的画面呈现了自己理想中的爱情。"在我的心头荡漾"和"我甘心做一条水草"，含蓄地表达了重游故地的诗人仍在追寻自己

① 徐志摩著、顾永棣编《徐志摩全集·散文卷》，浙江人民出版社 2015 年版，第 94 页。
②③ 顾永棣编《徐志摩诗全编》，浙江文艺出版社 1987 年版，第 63—67 页。

理想中的爱情。

在第二个画面中，诗人先写“梦”（第四节），再写“寻梦”（第五节）。

在第四节中，诗人写了潭水，写了清泉，写了梦。写清泉，诗人先将无色的清泉幻化为彩虹，再用实体隐喻将其“揉碎在浮藻间”，清泉原本是无色的、液态的，诗人用彩虹代指清泉，且用有形实体隐喻彩虹，赋予清泉绚丽的色彩、神奇的质感，“那榆荫下的一潭”因这样的一泓清泉而变得奇幻。写梦，诗人先用“沉淀物”这个实体隐喻“梦”，再用“彩虹”隐喻“梦”，“梦”原本是无形的、稍纵即逝的、难以捕捉的，诗人用“沉淀物”“彩虹”这两个叠加的喻体隐喻“梦”，赋予“梦”新的特质——稳定的形态、绚烂的色彩，“梦”这个意象即刻立体化了。“潭水”是具体的事物，是感官所认知的，“梦”是抽象的意识，是性灵所观照的，两者本属于两个不同的范畴，诗人借用“沉淀”“彩虹似的”这两个隐喻建立了“潭水”与“梦”的关联，构建起感官与性灵交织的复叠意象——“梦”是稳定有形的物体，永久地沉淀在“潭水”里，且发出了彩虹似的光泽。对于“那榆荫下的一潭”，诗人有两个判断，一是“清泉”，二是“天上虹揉碎在浮藻间，沉淀着彩虹似的梦”。诗人用“不是……而是……”这个并列复句连缀这两个判断，他否定前者，肯定后者。依据现实的认知方式，作者应该肯定前者，否定后者，但是他反其道而行之，就是要打破现实认识方式的桎梏，用想象的方式建构一个理想的世界——在那里，彩虹似的梦永远存在，它潜藏在潭水里，时时等待着“我”的探寻。

在第五节中，诗人用“寻梦”这个设问引出了两个意想中的活动，一是“撑一支长篙，向青草更青处漫溯”，二是“满载一船星辉，在星辉斑斓里放歌”。第四节说“梦”有稳定的形态，泛着彩虹的光泽，沉淀在潭水中，且水面上还有彩虹、浮藻，因此，诗人要“撑一支长篙，向青草更青处漫溯”，在那青草更青处的潭水里寻找他的“梦”，在那里捞起那些“沉淀着”的“彩虹似的梦”。诗人从青草更青处的潭水里捞起了许多“沉淀着”的“梦”，小船上装满了这些“梦”：在夕阳下，这些“梦”泛出彩虹似的光泽；在夜晚，这些“梦”竟然泛出斑斓的星辉，诗人“满载一船星辉”。诗人用想象的方式进一步幻化这个理想的世界——在那里，“梦”是有形的实体，永远存在，潜藏在潭水里，而且吸取了自然天地的精华，白天泛着彩虹似的光泽，入夜泛着斑斓的星辉，诗人想象自己在康河上撑篙探寻，从潭水里捞起了许多神奇的“梦”，满载而归。

第一个画面偏静态，勾勒的是河畔之景，视野较窄，诗人是站在康河边凝眸柳影、青荇，他沉醉其间；第二个画面偏动态，呈现的是天光水色，视野较宽，诗人不仅远眺榆荫下的彩虹与康河上的星辉，还想象自己撑篙寻梦，漫溯于青草的更青处，沐浴在斑斓的星辉里，他情不自禁地要“在星辉斑斓里放歌”。两个画面、两段情愫，构成了层次上的递进性，诗人借助这种递进性将自己的情感表达推向了高潮。

诗人用想象呈现了重游康桥的记忆，他将当下重游康桥的记忆与青年求学康桥时的记忆叠加，从而历经了一番精神的溯源。他描述了这段精神溯源的历程，诠释了自己对康桥的情愫：青年时，他在康桥寻得了理想中的爱情，如今，他虽然已经拥有了第二段婚姻，但是他得到所爱之后又陷入了新的不如意，他永远在追寻着理想中的爱情；青年时，他在康桥寻得了他的梦想，如今他依然沉醉于康桥和悦宁静的环境和圣洁欢乐的光阴，依然追慕真善美浩瀚的光华，依然追寻康桥所承载的梦想——回归自然，沐浴纯美的精神。他始终将康桥视为自己“难得的知己”“精神依恋之乡”“生命的泉源”。

重游康桥毕竟是短暂的，诗人仍然需要回到日常生活的世界。如何调和康桥的世界与日常生活世界的冲突呢？诗人在情不自禁想要放歌的刹那，克制了激情，选择了沉默，“但我不能放歌，悄悄是别离的笙箫；夏虫也为我沉默，沉默是今晚的康桥！”他在诗歌的开头与结尾反复叙述“轻轻（悄悄）的我走了，正如我轻轻（悄悄）的来”，他不想惊扰他难得的知己；他在诗歌的开头写道：“轻轻的招手，作别西天的云彩”，他在诗歌的结尾写道：“我挥一挥衣袖，不带走一片云彩”，他不希望“精神依恋之乡”有丝毫减损，他不希望“生命的泉源”有丝毫淤塞：他将理想的爱情与纯美的梦想原封不动地潜藏在康桥，将自己的心灵永远安顿在康桥，他以一种优雅的姿态缓释了自己的忧伤。

整首诗共七节，每节四行，每行六至八字。节是匀称的，句是均齐的。这展现了整首诗的建筑美。而这首诗的建筑形式在整齐之中又有细微的错落。在第一、二、三、六、七节中，标点都安排在行尾。而第四节的第二行，行中安排了一个逗号，“不是清泉，是天上虹”，第五节的第一行，“寻梦”之后安排了一个问号，“寻梦？撑一支长篙”。这种细微的变化使诗歌原本舒缓的节奏稍稍加快了一些。

整首诗大部分小节内部逢双的诗行押韵，第一节押 ai 韵，第二节押 ang 韵，第三节押 ao 韵，第六节押 ao 韵，第七节押 ai 韵，呈现了整首诗的音乐美。而这首诗第四节“虹”与“梦”的韵母接近，第五节不押韵。这首诗开始是一个很柔和的韵，中间有一节是不押韵的，最后一节又回到最初的韵。整首诗的声韵十分和谐，声调十分柔和，柔和中又有一些小小的波动。

这首诗形式齐整，节奏舒缓，声韵和谐，声调柔和，诗人借助这种语言形式恰如其分地表现出自己淡淡的哀伤。整首诗在齐整、和谐中又有一定的自由变化，主要集中在第四、五节，诗人借助这种语言形式的变化呈现出自己撑篙寻梦时涌动的心潮。而这种自由变化又巧妙地潜藏在齐整、和谐之中，诗人依托这种娴熟圆润的语言技巧使自己的哀伤显露出一种优雅的姿态。这也吻合新月派的美学原则——理性节制情感。

剧本

以小见大 千疮百孔

——解读《茶馆》（第一幕）

1958年5月，老舍先生在《剧本》杂志上发表了《答复有关〈茶馆〉的几个问题》一文。其中涉及的一个问题是“为什么单单要写一个茶馆”，老舍先生的回答是：“茶馆是三教九流会面之处，可以容纳各色人物。一个大茶馆就是一个小社会。这出戏虽只有三幕，可是写了五十来年的变迁。在这些变迁里，没法子躲开政治问题。可是，我不熟悉政治舞台上的高官大人，没法子正面描写他们的促进与促退。我也不十分懂政治。我只认识一些小人物，这些人物是经常下茶馆的。那么，我要是把他们集合到一个茶馆里，用他们生活上的变迁反映社会的变迁，不就侧面地透露出一些政治消息么？这样，我就决定了去写《茶馆》。”[①] 这篇文章中还谈到“怎么安排这些小人物与剧情”，老舍先生说：“我设法使每个角色都说他们自己的事，可是又与时代发生关系。”[②] 从老舍先生的创作反思中，可以发现他是采用以人带事、以小见大的手法来反映社会变迁，通过刻画一些小人物的言行来传递他对当时社会的认识与态度的。因此，解读《茶馆》的第一幕需要思考的核心问题是：作者对当时的社会现实持怎样的认识与态度？要解决这个核心问题，需要依次解决如下一些问题：

1. 作者揭示了哪些社会现实？

①② 老舍著《茶馆》，长江文艺出版社2020年版，附录，第148页、第149页。

1.1 作者呈现的这些人物之间构成一个怎样的社会关系？

1.2 舞台说明中暗示了哪些社会现实？

1.3 作者写了哪些人物之间的斗嘴、谈判、闲谈？这些斗嘴、谈判、闲谈反映了哪些社会现实？

1.4 主人公王利发是如何应对茶馆中的这些人际交往的？他的表现又反映了哪些社会现实？

2. 作者是如何刻画这些人物的语言的？为什么要这样写？

3. 作者是如何安排这一幕戏剧的结构的？为什么这样安排？

第一幕出现了二十多个人物，从政治地位、经济地位的角度看，大体可以分为三类：庞太监、马五爷、秦仲义可以视作社会的上层，庞太监代表了清王朝统治势力中的守旧派，马五爷是信奉洋教的教士，可以视作洋人势力的代理人，秦仲义是一名财主，他想成为办实业的民族资本家；宋恩子、吴祥子、二德子可以视作社会的中层，这些特务、当差的兵士对上维护着清王朝统治，对下欺压平民百姓；其余人属于平民阶层，其中常四爷，松二爷，茶客甲、乙、丙、丁是吃皇粮的旗人，虽不富裕，但是至少可以维持基本的生活，还能坐茶馆，王利发是茶馆掌柜，李三是茶房，刘麻子是说媒拉纤、贩卖人口的地痞无赖，唐铁嘴是吸鸦片的相师，黄胖子是调解纠纷的和事佬，这些人在社会底层谋生，康六、康顺子、乡妇、小妞属于穷困潦倒的农民，卖杂货的老人属于无依无靠的城里孤老。这二十几个人物涉及社会的各个阶层，一定程度上反映了当时的社会结构。

作者在舞台说明中交代了这幕戏剧的时空背景——时间是 1898 年（戊戌）初秋，地点是北京裕泰大茶馆，他将这幕戏剧设定在这样一个特定的时空背景中以呈现晚清的社会现实。作者在画外音部分两次强调茶馆是个“（非常）重要的地方”，前一次介绍了人们在这里的种种活动——歇脚喝茶、商议事情、说媒拉纤、调解纠纷，后一次用反讽的语气介绍这里的文化交流——最荒唐的新闻、奇怪的意见、新近的戏腔、煎熬鸦片的方法、新得到的珍奇：交代这些环境信息不仅仅呈现了茶馆这个小社会里三教九流的生活样态，还暗示了当时一部分国民的思想状态——游手好闲、愚昧保守、品味低俗。作者在描述舞台场景时，交代了茶馆的场景、道具与各色人等的活动，特意交代了几个细节——一是“各处都贴着‘莫谈国事’的纸条”，二是“两位穿灰色大衫的——宋恩子与吴祥子，正低声地谈话，看样子他们是北衙门的办案的（侦缉）”，交代这两处细节暗示了清王朝的恐怖统治——收紧言论自由、实施特务监管，为整幕戏剧营造了压抑的气氛，而交代打群架的缘起、马五爷喝茶等细节则为剧情的发展埋下了伏笔。

这幕戏剧人多事杂，作者采用以人带事的方法推进整个剧情的发展，而这些事又是通过人物间的斗嘴、谈判、闲聊呈现出来的，因此，可以以几个主要人物的登场及主要人物之间的互动对话为界将这幕戏剧大体分为五个部分。第一部分是从“松二爷和常四爷都提着鸟笼进来”到王利发说“不忙，待会儿再算吧”，这部分主要写了常四爷与二德子之间的斗嘴以及马五爷不理睬常四爷，兼带写到王利发对唐铁嘴的调侃。第二部分是从“纤手刘麻子领着康六进来”到老人说“这年月呀，人还不如一只鸽子呢”，这部分主要写了刘麻子与康六之间的谈判，写了刘麻子与常四爷、松二爷之间的闲聊，兼带写了黄胖子的调解与老人的诉苦。第三部分是从“秦仲义，穿得很讲究，满面春风，走进来”到秦仲义下场，这部分写了秦仲义与王利发的谈判、与常四爷的斗嘴、与庞太监的斗嘴。第四部分是从庞太监找刘麻子到“有几个茶客好像预感到什么灾祸，一个个往外溜”，这部分写了庞太监对刘麻子开价的质疑、对唐铁嘴的劝慰，还写了茶客甲、乙、丙、丁的闲谈。第五部分是从松二爷与常四爷想离开茶馆到这幕戏剧的落幕，写了常四爷与宋恩子、吴祥子的斗嘴，写了康六的自责，写了庞太监的警告。作者通过写每个部分中人物之间的斗嘴、谈判、闲谈折射出各种类型的社会问题，尤其是借助一些斗嘴、谈判中隐含的矛盾冲突呈现出激烈的社会矛盾。

在第一部分中，常四爷与二德子之间发生了斗嘴，常四爷在马五爷处遭到了冷遇，常四爷与这两个人物之间分别构成两组矛盾冲突。常四爷与二德子之间的矛盾主要是常四爷面对二德子的挑衅，讥讽他吃着官饷不去与洋人干仗却在平民面前抖威风，而二德子要对常四爷动粗，马五爷的喝止化解了这场矛盾冲突。这组矛盾冲突的形成与解决暗示了清王朝在军事层面出现的一些问题，即善扑营、库兵是清王朝拱卫京畿之地的武装力量，这些人理应与洋人作战，保家卫国，但是以二德子为代表的这些吃着官饷的士兵，不敢与洋人作战，甚至还要讨好洋人的代理人马五爷，却要为一个鸽子打群架，在平民百姓面前逞强斗狠。常四爷与马五爷之间的矛盾是常四爷主动找马五爷评理，却在马五爷这里碰了一鼻子灰，讨了个没趣儿，因为马五爷是洋人的代理人，为洋人办事（吃洋饭，信洋教，说洋话），而常四爷表达对洋人的不满无形中得罪了马五爷。这组矛盾冲突暗示了清王朝在政治层面存在的一些问题，即西方列强借助一些代理人将自己的政治影响力渗入中国的政治生态环境，这些西方列强的代理人不仅受到二德子之流的讨好，连"官面上"都不惹。王利发对唐铁嘴的调侃反映出吸食鸦片这一社会恶疾的存在。

在第二部分中，刘麻子与康六进行了一场谈判，刘麻子与松二爷、常四爷展开了一会儿闲聊。康六卖女儿的原因是实在无法维持生计——乡下种地的没法子混，一家大小一天都吃不上一顿粥，不弄到手儿两银子就得叫东家活活打死。康六与刘麻子谈判的争议点是两个，一是价格——十两银子太少，二是买主——把女儿卖给太监做老婆。刘麻子向松二爷兜售一个西洋小表，顺带与常四爷聊起了当时洋货盛行的情况。这场谈判与这场闲聊中折射出晚清的经济问题：一是农村经济凋敝，农民生活濒临绝境，被逼到卖儿卖女的境地。在这幕戏剧中，还有多处内容呈现了这一问题，比如刘麻子说"在乡下，五斤白面就换个孩子"，"找遍了你们全村儿，找得出十两银子找不出"，又如后文的乡妇卖小妞。其实城里的情况也不乐观，卖杂货的老人已八十二岁，却没有人管，人不如一只鸽子。二是大量外国商品向中国倾销，既冲击了中国的工商业，又造成了贸易的巨大逆差（"这得往外流多少银子"）。秦仲义道出了这些经济问题的关键是穷人多、洋货多。经济问题还表现为贫富悬殊——穷人卖儿卖女，太监买女孩做老婆，还表现为违法经济活动的猖獗——竟然公开贩卖人口，奸商横行，欺诈百姓，刘麻子一边说着大清国有的是金山银山，一边忙着坑蒙拐骗，中饱私囊。

在第三部分中，秦仲义与王利发进行了一场谈判，秦仲义与常四爷之间暗地里发生了一场斗嘴，秦仲义与庞太监之间也发生了一场斗嘴。秦仲义与王利发谈判的争议点是两个：一是要提高房租；二是准备收回房子，目的是想聚拢资金，实业救国。面对可怜的乡妇与小妞，秦仲义要求王利发将她们轰出去，而常四爷则施舍了她们两碗烂肉面，秦仲义与常四爷在处理这件事上发生了分歧，他们其实都想帮助穷人，只是在秦仲义看来这种临时的施舍解决不了根本问题，他对常四爷善举的评论就是一通风凉话（第三幕中常四爷还提起这段风凉话），他畅谈实业救国的主张，又暗讽常四爷格局小，认识有限——“（对王利发说而眼看着常四爷）唉，我跟你说这些干什么，你不懂”。秦仲义与庞太监之间的斗嘴，那就是在寒暄话语中夹带着冷嘲热讽，是守旧势力与维新力量之间的暗中较劲儿。这些争议、斗嘴中隐含的矛盾冲突折射出严峻的政治问题：后党当权，以庞太监为代表的守旧势力依然强大，且残酷地镇压维新力量——“天下太平了：圣旨下来，谭嗣同问斩！告诉您，谁敢改祖宗的章程，谁就掉脑袋”，这也暗示了秦仲义等维新力量的改革行动面临着重重政治阻力。

在第四部分中，茶客甲、乙、丙、丁聊起了谭嗣同，聊起了八旗兵的粮饷，庞太监质疑刘麻子的开价，又劝慰唐铁嘴放心。茶客甲、乙、丙、丁的闲聊折射出两个社会问题：第一个社会问题是继续维持八旗兵制度，满清开国的主要军事力量是八旗兵，立国之后仍将八旗兵作为国家主要的武装力量，但是晚清的八旗兵早已失去了彪悍的战斗力，只会贪图享乐，玩鸡遛鸟斗蛐蛐，喝茶唱戏闻鼻烟（《茶馆》中的很多细节就反映了这些问题），而供养八旗兵需要钱粮，国家又承担着沉重的财政压力，一旦“铁杆庄稼”倒了，大部分八旗兵又不会自谋生计，松二爷就是一个典型，因此，这些茶客所聊到的八旗兵制度既是一个军事问题，又是一个经济问题，更是一个政治难题。第二个社会问题是民众思想的落后、保守，谭嗣同以死来殉变法事业，他曾说“各国变法，无不从流血而成。今日中国未闻有因变法而流血者，此国之所以不昌也。有之，请自嗣同始”①，但是谭嗣同的鲜血并没有唤醒全体民众，以茶客为代表的相当一部分民众不了解谭嗣同，不理解维新运动，依然认同皇权统治——“反正犯了大罪，

① 田秉锷编著《历代名家诗品》，上海三联书店 2022 年版，第 481—482 页。

要不，怎么会问斩呀”，有些人污蔑维新运动——“有些做官的，念书的，乱折腾乱闹，咱们怎能知道他们捣什么鬼呀”，有些旗人甚至因为自身利益被触动而敌视维新运动——“姓谭的，还有那个康有为，不是说叫旗兵不关钱粮，去自谋生计吗？心眼儿多毒”。这些议论与鲁迅小说《药》中茶馆里关于革命者夏瑜的议论很相似，这说明不少民众在思想认识上与这场社会变革运动之间存在着巨大的隔阂。而庞太监对唐铁嘴说的话进一步反映出清王朝的守旧势力在政治上对维新力量的残酷镇压，庞太监对刘麻子开价的质疑则反映出奸商的狡诈与贪婪。

第五部分写了常四爷与宋恩子、吴祥子的斗嘴，写了康六的自责，写了庞太监的警告。这里的斗嘴呈现了常四爷与两个特务之间的矛盾冲突，折射出晚清政治的腐败，即民众没有言论自由，特务统治猖獗，爱国者反遭囹圄之灾。康六的自责有其动情、无奈的一面，也在一定程度上折射出部分民众的思想认识落后的一面——受压迫者要求自己与女儿认命、积德。庞太监的警告折射出统治者视人命如玩物，荒淫无度。

王利发是整幕戏剧的主角，他对茶馆中这些人际交往的处理是事件与事件之间、矛盾与矛盾之间的衔接点，而他的应对表现也折射出一些社会问题。王利发的处事理念是“在街面上混饭吃，人缘儿顶要紧。我按着我父亲遗留下的老办法，多说好话，多请安，讨人人的喜欢，就不会出大岔子”。他秉持这个理念来处理茶馆中的各类人际交往，而且他善于察言观色，洞悉人情世故，面对秦仲义的谈判，他处处放低姿态，不断讨好秦仲义，恳求秦仲义多一些恩典；面对秦仲义与常四爷的分歧，他既夸常四爷的积德行好，又赞同秦仲义的举动——“这路事儿太多了……谁也管不了”；面对常四爷与二德子的矛盾，他主动出面调解；面对秦仲义与庞太监的斗嘴、刘麻子与康六的谈判，他则不出场。这些应对展现出王利发的“滑”与“顺”，前者用秦仲义的话说“你这小子，比你爸爸还滑”，后者用王利发自己在第三幕的话说“我呢，做了一辈子顺民”。而这样一个善于逢迎周旋、处处委曲求全、时时改良求变、在夹缝中求生存的小商人的生活却是每况愈下，最终被逼自尽，可见这个社会黑暗腐朽到了极点。王利发多次提醒茶客，比如明着向常四爷介绍马五爷的背景信息，暗中提醒常四爷说话留神，还用体态语暗示常四爷当心宋恩子、吴祥子，劝告茶客甲、乙、丙、丁莫谈国事，有的提醒暗示了外国势力的渗透，更多的提醒则是折射出满清政府的高压统治。

作者借助茶馆中的各种人际对话活动，从政治、经济、军事、文化等多方面反映出晚清的种种社会问题，从一个茶馆中众多小人物的活动勾画出他心目中的那个千疮百孔的旧社会。

老舍先生在《答复有关〈茶馆〉的几个问题》的文章中还谈到人物的语言："没有生活，即没有活的语言。我有一些旧社会的生活经验，我认识茶馆里那些小人物。我知道他们做什么，所以也知道他们说什么。以此为基础，我再给这里夸大一些，那里润色一点，人物的台词即成为他们自己的，而又是我的。"① 老舍先生是依着时代、阶级、职业和气质以及地方色彩刻画各色人物的语言的，如实地呈现人物的善、恶、美、丑，这种笔法本身就隐含了作者对笔下人物的好恶，而作者又依着情理对人物的语言做一些夸大、润色，这些夸大、润色中更是注入了作者对人物的褒贬情感。作者刻画反面角色时，比如庞太监、刘麻子、唐铁嘴、二德子、宋恩子、吴祥子，不仅仅让人物说自己该说的话，还用漫画的笔法进一步呈现出这些人的丑恶嘴脸及这些人所折射出的丑恶的社会现实，以此传递出对这些人及这样的社会现实的鞭挞。而刻画常四爷时，则是倾注了作者对他的敬仰，刻画康六、康顺子、乡妇、小妞、老人时，则是倾注了无限的同情与怜悯。将那些反面人物的语言与常四爷的语言组合在一起，将那些反面人物的语言与穷人的语言组合在一起，构成了多重的对照，作者借助这样的笔法呈现了自己的爱憎态度，传递出对这个不公的社会的憎恶。

这五个部分剧情之间的顺序安排隐含了内在的逻辑关联。第一、二部分侧重于呈现晚清在政治、经济、军事等方面的种种积弊。针对这些积弊，第三部分呈现了两种积极的应对态度：一是常四爷的应对态度——"我看哪，大清国要完"，这是一名正直的爱国者因怒其不争而发出的慨叹，实则是希望国家能除弊立新、重振雄风（第二幕中他自述了参加义和团与洋人作战的经历）；二是秦

① 老舍著《茶馆》，长江文艺出版社 2020 年版，附录，第 149—150 页。

仲义的应对态度——主张实业救国。第三、四部分中刻画庞太监的言语暗示了秦仲义的应对策略将面对重重阻力与打压，预示了秦仲义提出的解决社会问题的这条道路是走不通的；第五部分宋恩子、吴祥子的言语更是颠倒是非、混淆黑白，将爱国者的言行诬陷为叛国罪。庞太监、宋恩子、吴祥子所代表的守旧的统治势力将两种积极的应对态度都扼杀了，余下的只有面对危局的一些消极的态度，比如第四部分中茶客们所说的“好死不如赖活着”，第四、五部分中唐铁嘴、刘麻子、黄胖子等人依附庞太监苟延残喘，第五部分中康六的“认命”。概而言之，这些剧情之间的排序呈现了一定的因果逻辑，作者先呈现问题，然后呈现两种积极的应对态度，再呈现两种积极的应对态度被否定，接着展现余下的消极态度，由此推导出满清王朝的最终结局——“将！你完啦！”作者借助这种剧情结构从因果逻辑层面表现了满清王朝灭亡的必然性。当然，从历史社会的角度分析一个王朝的盛衰原因则更为复杂，这里所谈的因果逻辑只是从文学艺术的角度审视一个作者基于他的历史观所产生的分析思路。

《茶馆》中大部分剧情是悲剧，但是作者又是以一种幽默讽刺的手法来表现这些悲剧，呈现这些悲剧的荒唐可笑的。第一幕中展现的荒唐可笑的事件依次是：吸食鸦片、穷困潦倒的相师却为别人推算命运，一群善扑营当差的和库兵准备为一只鸽子打群架，当兵的不敢碰洋人却在平民面前逞强斗狠，破产的农民被逼要将女儿卖给太监做老婆，奸商讹诈穷人又为穿一身洋货而自鸣得意，八十二岁的老人感慨“人还不如一只鸽子”，实业救国者被守旧势力鄙夷，民众不理解为他们献身的革命者却为能继续寄生于社会而欢呼，正直者的爱国者被诬陷为叛国者，太监终于买到了老婆。这些主要事件的荒唐可笑的程度构成了一定的推进性，这是作者安排剧情顺序时埋伏的第二层逻辑关联。作者借助这种剧情结构表达了对这个不公正的旧社会的强烈憎恨，以及对建立新社会的强烈渴望。

在这一幕戏剧中，作者从一些小人物着笔，以独特的视角、鲜活的语言、巧妙的构思揭示了晚清社会的黑暗腐败、光怪陆离，表达了对建立现代民主国家的渴求。这一定程度上也反映了他试图表达的历史观。

散文

缓迂雅致　自叙痴情

——解读《故都的秋》

散文属于非虚构作品。优秀散文的标准是什么呢？美国散文作家、写作教授菲利普·罗帕特在《散文写作十五讲》(*To Show and to Tell*) 中写道："意识加上风格等于好的非虚构作品。"[①] 在"意识"层面，他的观点是"在最好的非虚构作品当中，我认为，读者时刻意识到他们是在和一个不停运转的、机敏的头脑打交道。非虚构中的故事线索和情节在于其思考和解决问题过程中的各种曲折和变化"[②]。在"风格"层面，他认为"让非虚构引人入胜的另外一个因素是一种高级的、令人愉悦的、优雅的，或者至少是刻意的文学化风格。且每段话都要体现这种风格"[③]。概而言之，前者指向独到的见地，后者指向个性化的语言。因此，解读散文，需要通过对个性化语言的品析，把握作者的角色身份、兴趣爱好、文化背景、政治归属等，捕捉作者的好奇心及由其好奇心所提出的问题（可能是一个严肃棘手的问题，也可能是一个无足轻重的问题），关注作者的问题在与当下生活、与过往历史发生碰撞时所产生的话题，分析作者对每个话题的思考，追踪作者的意识，梳理作者思想情感的脉络，读懂一个"不停运转的、机敏的头脑"。这种解读文本的思考框架适用于解读《故都的秋》。故而，解读《故都的秋》可以思考的核心问题是：作者为自己的经验建构了怎样的秩序与文化背景，又建构了一个怎样的自我？解决这个核心问题的前提是需要解决如下

①②③　（美）菲利普·罗帕特著《散文写作十五讲》，孙冬译，江苏人民出版社 2021 年版，第 6—7 页。

一些下位问题：

1. 从显性的交代与语言风格中，可以推断出作者有哪些身份信息、文化背景或个性特点？作者可能从哪些视角（立场）谈论这篇文章的话题？

2. 作者在散文的开头抛出的话题是什么？作者用怎样的语言形式表述这个话题？用这样的语言形式表述这个话题所揭示的冲突是什么？这个冲突中隐含的问题是什么？

3. 作者的问题与当下生活、与历史文化发生了哪些碰撞？这些碰撞引出了哪些话题？作者站在哪个立场上思考这些话题？从其个性化的语言中可以推断出作者怎样的思想认识与情感体验？作者为自己的经验建构了怎样的秩序与文化背景？

4. 作者最终是如何回应自己抛出的问题的？这种回应中建构了一个怎样的自我？

多重身份与多重视角

从其显性的交代中可以推断出：作者是一个南方人，“不远千里，要从杭州赶上青岛，更要从青岛赶上北平来”，“不逢北国之秋，已将近十余年了。在南方每年到了秋天，总要想起”；作者是一个生活在南方都市里的人，“一个人夹在苏州上海杭州，或厦门香港广州的市民中间，混混沌沌地过去”；作者是一个有着怪癖的人，“想饱尝一尝这‘秋’，这故都的秋味”。

从其显性的交代和语言风格中，可以推断出作者是一个受过中国传统文化浸淫的现代知识分子。这篇文章基本上用白话文写成，其中还用了大量的复句，但是在白话语言的表述中又多处嵌入典雅的文言语词或句式，比如“一椽”“梧桐一叶而天下知秋”“遥想”“平平仄仄”“何尝不然”“诗歌散文钞”“……之与……”。作者写故都的天色用的是“碧绿的天色”，不是用“蓝天”，而是用“青天”，这是传统文化的审美意象，类似的审美意象还有很多，比如“芦花”“柳影”“虫唱”“月夜”“钟声”“落蕊”“明月”“秋潮”“凉雾”“残荷”。作者描述的画面往往呈现出中国文人画的构图与意境，比如“还要在牵牛花底，教长着几根疏疏落落的尖细且长的秋草，使作陪衬”，“在雨后的斜桥影里，上桥头树底去一立”。作者评价时所用的语言是中国古人在品鉴人、事、物时常用的，比如“……为佳……次之……最下”。作者连“北平”都不常叫“北平”，而刻意称之为“故都”，因为他醉心于这座城市的历史沧桑感。

从其显性的交代和语言风格中，还可以推断出作者是一个广泛接触西方文学的中国知识分子，比如他在第十二段中多处以外国诗文做证据阐述自己的观点，“英法德意等诗人的集子”“长篇的田园诗或四季诗”，又如在白话文的表述中两次嵌入英文单词——“Golden Days”“Anthology”，“Golden Days”还被置于段落的末尾，充当抒情旋律的休止符。

作者常常在长句中嵌入几个逗号，以一个词、一个短语作为分句，还时常嵌入一些感叹词，行文节奏舒缓、语气平和，由此可以推知作者的从容、悠闲。

整合以上内容，可以发现作者是一个有怪癖的南方都市人，是一个受过中国传统文化浸淫的现代知识分子，是一个广泛接触西方文学的中国知识分子。在他的身上，南方文化与北方文化共存，中国的传统文化与现代文化同在，西方文化与东方文化并存。各种文化在作者的头脑中碰撞与交织。“阅读非虚构的最惊险的奇遇在于，跟随一个真正有趣的充满变数的头脑”①，作者的头脑正是一个十分有趣的头脑。这个有趣的头脑审视故都之秋的视角显得尤为独特，换而言之，作者建构自己经验的视角是独特的，他是以一个南方都市人的眼光审视故都之秋的，是以一个中国传统文人的审美眼光从容、悠闲地审视故都之秋的，是以中西文化比较的方式审视故都之秋的。

怪癖与问题

秋天，无论在什么地方的秋天，总是好的；可是啊，北国的秋，却特别地来得清，来得静，来得悲凉。我的不远千里，要从杭州赶上青岛，更要从青岛

① （美）菲利普·罗帕特著《散文写作十五讲》，孙冬译，江苏人民出版社 2021 年版，第 7 页。

赶上北平来的理由，也不过想饱尝一尝这“秋”，这故都的秋味。

作者在散文的开头抛出的话题是“我赶到北平来饱尝这故都的秋味”。而作者表述这个话题的语言形式很特别。这段话可以改写为两个复句，一个转折复句和一个因果复句：

虽然无论在什么地方的秋天总是好的，可是北国的秋却特别地来得清、静、悲凉。

我之所以不远千里，要从杭州赶上青岛，更要从青岛赶上北平，是因为我想饱尝一尝这“秋”，这故都的秋味。

作者先用了一个转折复句：在“虽然”部分表述他的生活经验之一，即秋天在任何地方都是好的；在“但是”部分强调了他的生活经验之二，即他认为与任何地方的秋相比，北国的秋是最好的，是上品中的上品；中间用一个分号将这个长长的复句分解为两个部分，将北国的秋与任何地方的秋并置，凸显北国之秋的特立独行；再用六个逗号，和分号一起将这个长句断为八个小分句，在“可是”后面缀上一个感叹词“啊”，并用一个排比句列举北国之秋的三个特点（清、静、悲凉）。作者借助这样的语言形式表现出较为舒缓的节奏，增强了文章的抒情意味，传递出感慨、向往之情。

作者用一个简单句陈述赶往北平的理由（他其实可以用上文改写的那个因果复句）。他给这个句子的主语设定了一个很长的定语——“我的不远千里，要从杭州赶上青岛，更要从青岛赶上北平来的”，不厌其烦地交代路程的距离，用反复的句式交代路线，用一个表示递进关系的“更”连缀两个交代路线的分句（“从……赶上……，更要从……赶上……”），借此强调付出的代价之大，为的是凸显赶路的急切心情，凸显对故都之秋的向往之情。同时，作者又用了反复的手法，两次表述了秋——“这‘秋’，这故都的秋味”，还用多个逗号将这个长句变成若干个小分句，再次强化文章的抒情意味。

为了达到饱尝故都秋味这个目的，作者付出了很大的代价。作者的目的与付出的代价之间构成了一定的冲突，这种冲突已对读者的认知形成冲击。而作者陈述目的时竟然还说“也不过”，“不过”相当于“只，仅仅”，含有往小处或轻处说的意味，“也不过”意为“只是这样，不怎么特殊”，作者评价这样的代价没有什么特别的，没什么了不起的。作者付出的代价与作出的评价之间又构成了冲突，这种冲突对读者的认知又一次形成了冲击。也就是说，作者在开篇不仅仅抛出了一个迸发着火花的话题，不仅仅提供了一个新闻报道般的出行事实，不仅仅呈现了自己的怪癖，不仅仅建构了一个有趣的自我，而且还借助这种语言中蕴含的冲突建构起一个特殊的“自我”——一个对故都的秋有着痴迷之情的南方人，也促使读者产生了疑问——“一个现代都市的南方人为什么要不远千里去饱尝故都的秋味呢”。这是一个有趣的问题。

作者的这个问题与自己的生活经验、文化经验两个领域发生了碰撞，引出了两个话题：一是南方的秋味与故都的秋味之比较；二是东方人“赏秋”的审美观念与西方人“赏秋”的审美观念之比较。前者聚焦于生活经验，主要在第二至十一段、第十三段，这部分以叙述、描写为主；后者聚焦于文化背景，主要在第十二段，这部分以议论为主。

生活经验的对比与建构

作者首先将问题置于生活领域探讨，这部分的探讨主要集中在第二至十一段，以及第十三段。作者既是一个南方人，又是一个受传统文化浸淫的现代知识分子，他用这样一个双重视角审视南北方秋味的差异。

他从两个方面做比较，一是在“日常生活方面”比较南北方的秋味，二是从“特异的地方”比较南北方的秋味。前者涉及第二至十一段，后者涉及第十三段。作者分别用两个“当然”确认了南方有秋天，确认了南方的秋天有特异的地方，再用两个转折复句，指出了南方秋味的不足。具体如下：

> 江南，秋当然也是有的；但草木凋得慢，空气来得润，天的颜色显得淡，并且又时常多雨而少风；一个人夹在苏州上海杭州，或厦门香港广州的市民中间，混混沌沌地过去，只能感到一点点清凉，秋的味，秋的色，秋的意境与姿

态，总看不饱，尝不透，赏玩不到十足。

南国之秋，当然是也有它的特异的地方的，譬如廿四桥的明月，钱塘江的秋潮，普陀山的凉雾，荔枝湾的残荷，等等，可是色彩不浓，回味不永。

这两个转折复句，分别领起两个部分，前者领起第三至十一段，后者领起第十三段。

先看第一个复句。

第一个复句先是肯定南方有秋天，再用转折部分指出南方秋天的三个层次的不足。第一个层次是景观上的不足，比如“草木凋得慢”“空气来得润”“天的颜色显得淡”“并且又时常多雨而少风”；第二个层次是季节辨识度低，“混混沌沌地过去”“只能感到一点点清凉”；第三个层次是品鉴体验的满意度低，“秋的味，秋的色，秋的意境与姿态，总看不饱，尝不透，赏玩不到十足”。

作者以这个句子所写的三层内容为参照，在第三至十一段，从景观、季节辨识度与品鉴体验的满意度三个层次一一比较了南北方秋味的差异。

首先是在景观上的差异。南方是“天的颜色显得淡”，北方是“看得到很高很高的碧绿的天色”；南方是“草木凋得慢”，北方是“像花而又不是花的那一种落蕊，早晨起来，会铺得满地”；南方是“非要上郊外或山上去才听得到（秋蝉的残声）”，北方是“秋蝉的衰弱的残声，更是北国的特产……无论在什么地方，都听得见它们的啼唱”；南方是“空气来得润”“并且又时常多雨而少风”，北方的秋雨“也似乎比南方的下得奇，下得有味，下得更像样”。

其次是在季节辨识度上的差异。南方是“只能感到一点点清凉”，北方是“唉，天可真凉了——”“一层秋雨一层凉啦”；南方无论在哪个城市，秋天的日子都是“混混沌沌地过去”，北方秋天的日子却格外引人瞩目，特别是“这枣子、柿子、葡萄，成熟到八九分的七八月之交”，这段时间“是北国的清秋的佳日，是一年之中最好也没有的 Golden Days”。

再次是在品鉴体验的满意度上的差异。作者以名花、美酒作比，喻指南方秋天是“一种半开、半醉的状态”，他认为这种状态是不能满足自己领略秋味的需求的，而在北方的秋天，作者品鉴体验的满意度达到了饱和，秋的味，秋的色，秋的意境与姿态，看得饱，尝得透，赏玩到十足。

作者在第三至十一段，写了故都秋天日常生活中的四组风景——天色、槐树、秋雨、果树，将其与第二段做比较，从景观、季节辨识度与品鉴体验的满意度这三个层次比较了南北方秋味的差异，具象化地体现了故都“秋的味，秋的色，秋的意境与姿态”，具象化地体现了“北国的秋，却特别地来得清，来得静，来得悲凉”，具象化地展现了自己对故都之秋的钟爱与痴迷。可以用一组转折复句与因果复句呈现“作者为自己的生活经验建构的秩序”：

虽然南方秋天的草木凋得慢，空气来得润，天的颜色显得淡，并且又时常多雨而少风，甚至非要上郊外或山上去才听得到秋蝉的残声，但是故都却能看到很高很高的碧绿的天色，看到一夜间满地的落蕊，处处听到秋蝉衰弱的残声，看到随风而来忽而又停的秋雨。

虽然一个人夹在苏州上海杭州，或厦门香港广州的市民中间，混混沌沌地过去，只能感到一点点清凉，但是在故都却能感到“一层秋雨一层凉”，感到这枣子、柿子、葡萄，成熟到八九分的七八月之交，是北国的清秋的佳日，是一年之中最好也没有的 Golden Days。

虽然南方的秋是一种半开、半醉的状态，在领略秋的过程中，是不适合的，但是北国之秋是名花，是美酒，在这里，秋的味，秋的色，秋的意境与姿态，看得饱，尝得透，赏玩到十足。

因为故都的秋天能看得到很高很高的碧绿的天色，看到一夜间满地的落蕊，处处听到秋蝉衰弱的残声，看到随风而来忽而又停的秋雨，感到“一层秋雨一层凉”，感到清秋佳日，感到一年中最好也没有的 Golden Days，所以北国的秋特别地来得清，来得静，来得悲凉。

因为，北国的秋特别地来得清，来得静，来得悲凉，所以在北国，秋的味，秋的色，秋的意境与姿态，看得饱，尝得透，赏玩到十足。

作者在第三至十一段的每个部分中都写了自己品鉴故都秋味的体验，还写出了各部分体验在个性化成分上的细微差异。

在第三段中，所写的体验是“能够感觉到十分的秋意”，但是这种体验感是任何人在故都的任何地方都能获得的——“在北平即使不出门去吧，就是在皇城人海之中，租人家一椽破屋来住着，早晨起来，泡一碗浓茶，向院子一坐，你也能看得到很高很高的碧绿的天色……自然而然地也能够感觉到十分的秋意”。

在第四段中，所写的体验是“脚踏上去，声音也没有，气味也没有，只能感出一点点极微细极柔软的触觉……看起来既觉得细腻，又觉得清闲，潜意识下并且还觉得有点儿落寞，古人所说的梧桐一叶而天下知秋的遥想，大约也就在这些深沉的地方”。这种体验更细腻，其获得不仅需要向外感知脚上的触觉，观察地面“扫帚的丝纹”，还需要向内观照自己的感觉、潜意识、文化联想。

在第五段中，所写的体验关注的是秋蝉残声的衰弱，故都的人未必特别在意秋蝉的残声，因为“这嘶叫的秋蝉，在北平可和蟋蟀耗子一样，简直像是家家户户都养在家里的家虫”，也许其他南方人来故都也未必特别在意秋蝉的衰弱的残声，但是作者却特别在意，在意这份独特的体验，将其视为北国的特产，因为“在南方是非要上郊外或山上去才听得到的”。

在第六至十段中，所写的体验不只是关注天凉，还特别关注北方人语言中的平平仄仄的韵味。天凉是南北方人都能体验到的，而故都的人的语言中的歧韵，当地人多是不易发现的，大多数南方人来故都也未必能体验到，唯有作者这种受过古典文化浸淫的南方人才能体验到。这种体验的获得不仅仅需要主动聆听，还需要从方言语音之间的差异上去辨析，以及调用古诗文音韵的知识去品鉴。这实在是作者更个性化的体验了。

第三段里所写的体验是任何人自然而然可以获得的；第四段里所写的体验的获得需要观照自己的感觉，体察自己的潜意识，调用自己的文化经验去品鉴，需要更多的联想与共情；第五段里所写的体验的获得还源于作者在南方生活中产生的渴求所形成的敏感性（在南方较难觅得这残声）；第六段里所写的体验的获得需要地域差异形成的语音的陌生感，以及对古诗文音韵的敏锐度。作者在这四个部分的体验中所展现出的个性化成分越来越多。作者这样写，不仅仅是为了呈现出故都的秋景给予他的各种娱乐性，还是为了在自我意识层面构建起一定的秩序，展现自己心理世界多彩的意识状态，表现出一个多愁善感、忧郁感伤的“自我”。

再看第二个复句。

> 南国之秋，当然是也有它的特异的地方的，譬如廿四桥的明月，钱塘江的秋潮，普陀山的凉雾，荔枝湾的残荷，等等，可是色彩不浓，回味不永。

作者先是肯定了南方的秋天有特异的地方，列举了四处名胜，再指出南方“特异的地方”的不足——色彩不浓，回味不永。然后，作者将这些名胜与故都的名胜（“陶然亭的芦花，钓鱼台的柳影，西山的虫唱，玉泉的夜月，潭柘寺的钟声”）做比较，并运用了一组博喻、对比、排比（“黄酒之与白干，稀饭之与馍馍，鲈鱼之与大蟹，黄犬之与骆驼”）凸显故都秋味的浓烈、敦实、隽永、厚重。

作者先从普通的日常生活方面比较南北方秋味的差异（第二至十一段），再从特异的地方比较南北方秋味的差异（第十三段），建构起两个部分的递进关系，借此强调：无论从哪一方面做比较，故都的秋味都更深沉、幽远、严厉、萧索，只有这故都的秋味才能满足作者的审美需求。

文化领域的对比与审美经验的建构

作者在第十二段将问题置于文化领域来探讨，他站在中国传统文化的立场上审视在“赏秋”这个审美问题上东西方的异同。作者用了三组转折复句表述了比较的结果。

> 虽然有些批评家说，中国的文人学士，尤其是诗人，都带着很浓厚的颓废色彩，所以中国的诗文里，颂赞秋的文字特别多，但外国的诗人，又何尝不然？我虽则外国诗文念得不多，也不想开出账来，做一篇秋的诗歌散文钞，但你若去一翻英德法意等诗人的集子，或各国的诗文的Anthology来，总能够看到许多关于秋的歌颂与悲啼。各著名的大诗人的长篇田园诗或四季诗里，也总

以关于秋的部分，写得最出色而最有味。

这是第一组转折复句。作者在“虽然”部分中嵌套了一个因果复句——“(因为)中国的文人学士，尤其是诗人，都带着很浓厚的颓废色彩，所以中国的诗文里，颂赞秋的文字特别多”，作者指出了有些批评家眼中的一个中国文化现象——中国诗文里多有颂赞秋天的文字，揭示了这些批评家的推论——中国文人学士的审美观念中都带有浓厚的“颓废色彩”。作者在“但是”部分中嵌套了一个转折复句——“我虽则外国诗文念得不多，也不想开出账来，做一篇秋的诗歌散文钞，但你若去一翻英德法意等诗人的集子……写得最出色而最有味”，作者指出了一个外国文化现象——外国诗文里也多有颂赞秋天的文字，而且还写得特别出色，暗示了自己隐含的推论——外国文人学士的审美观念中也都带有浓厚的“颓废色彩”。作者基于自己隐含的推论，扩大了判断对象的范畴，强调东西方文化的审美体验中都有“颓废色彩”，也即“有感觉的动物，有情趣的人类，对于秋，总是一样地能特别引起深沉、幽远、严厉、萧索的感触来的”。作者基于这个判断，又提到囚犯也会悲秋，进一步强调秋天所引起的深沉、幽远、严厉、萧索的感触是人类普遍的审美体验，也即“秋之于人，何尝有国别，更何尝有人种阶级的区别呢”。作者通过这一组句子想表达的意思是：这深沉的秋味是世界之秋味。

虽然秋之于人，没有国别、人种、阶级的区别，不过在中国，文字里有一个“秋士”的成语，读本里又有着很普遍的欧阳子的《秋声》与苏东坡的《赤壁赋》等，就觉得中国的文人，与秋的关系特别深了。

这是第二组转折复句。作者依然站在中国传统文化的立场上比较东西方审美观念的异同。他列举了中国的两个文化现象：一是中国语言中独有的一个成语——“秋士”，二是赞颂秋天的两篇佳作被选入读本的频次高。作者以这两个文化现象为由，借助转折复句强调了中国文人与秋的关系特别紧密，也即在东西方审美观念中都有“颓废色彩”的成分，但是在中国传统文化中“颓废色彩”

的成分更多、程度更深。作者通过第二组转折复句想表达的意思是：这深沉的秋味中最深沉的是中国之秋味。

> **虽然**中国的文人与秋的关系特别深，**可是**这秋的深味，尤其是中国的秋的深味，非要在北方，才感受得到底。

这是第三组转折复句。作者依然站在中国传统文化的立场上比较中国南北方文化的差异，认为北方的秋味更深沉、幽远、严厉、萧索。作者通过第三组转折复句想表达的意思是：这深沉的中国之秋味中最为深沉的是故都之秋味。

作者借助这三组转折复句，曲折有致地凸显了三种深沉的秋味——世界之秋味、中国之秋味、故都之秋味。作者又借助这三组转折复句之间的递进关系，呈现出这三种秋味在程度上的递进关系，从世界之秋味，到中国之秋味，到故都之秋味，层层推进，最终点出了故都之秋味是深沉中的深沉。而作者痴迷于这故都之秋味，痴迷于这深沉中的深沉的秋味，正反映出他审美观念中极为深沉的“颓废色彩”。

结 论

作者开篇就抛出了一个迸发着火花的话题——一个南方人认为北国的秋天是最好的，并且引出了一个有趣的问题——“一个现代都市的南方人为什么要不远千里去饱尝一尝故都的秋味呢”。他描述自己的“赶秋”行为，通过这种怪诞的行为呈现出他极为鲜明的个性。

然后，作者用南方人的眼光、中国传统文人的审美眼光与中西文化比较的眼光多角度地、从容地审视着故都的秋。他穿越在生活领域与文化领域中，借用多组或显或隐的转折复句呈现多重比较，在景观、体验、文化等方面建构自己的生活经验与审美经验的秩序——层层加深的个性化体验，不断强化的审美需求，从具象的生活经验的描述到抽象的审美观念的议论，再回到具象的生活经验的描述。

最终，作者又提出了一个更离奇的需求与更难以理解的代价——“秋天，这北国的秋天，若留得住的话，我愿意把寿命的三分之二折去，换得一个三分之一的零头”。作者在开头处提出的需求还只是“饱尝一尝这‘秋’，这故都的秋味”，付出的代价是“不远千里”“从……赶上……”；而作者在结尾处提出的需求竟然是要“留得住”“这北国的秋天”，愿意付出的代价是“把寿命的三分之二折去，换得一个三分之一的零头”。作者建构了两个需求之间的递进关系，建构了两个代价之间的递进关系，借助需求、代价这两个层面构成的推进关系将自己的感情表达推向了高潮，揭示产生这两个层面的需求与代价的原因——只有故都的秋味能满足作者如此深沉的充满“颓废色彩”的审美需求。这就是全文的主旨。同时，这也回应了开头的问题——因为“我”的审美观念中有着极为强烈的“颓废色彩”，又因为饱尝一尝这故都的秋味才能满足“我”的审美需求，所以“我”要不远千里“从杭州赶上青岛，更要从青岛赶上北平来”。而读者追随着作者的意识，也经历了一场关于“颓废色彩”的审美之旅，读到了一个在中西文化中浸淫过的、有趣、忧郁而又富有魅力的南方人。

续续相生 连跗接萼

——解读《荷塘月色》

朱自清是一位散文名家。他在1928年的《背影·序》中总结自己的创作经验时说："我写过诗，写过小说，写过散文。……我所写的大抵还是散文多。既不能运用纯文学的那些规律，而又不免有话要说，便只好随便一点说着；凭你说'懒惰'也罢，'欲速'也罢，我是自然而然采用了这种体制。……我自己是没有什么定见的，只当时觉着要怎样写，便怎样写了。我意在表现自己。"①"我意在表现自己"是朱自清散文创作的追求，《荷塘月色》就是一个典型的例子。作者朱自清描述了一次夏夜的出游，刻画了月下荷塘的美景，意在表现自己丰富的精神世界。因此，解读这篇散文可以思考的核心问题是：作者描述这次出游的所见所思建构了自己怎样的精神历程？解决这个核心问题的下位问题具体如下：

1. 作者提供了哪些身份信息与出游信息？
2. 作者构建了哪几个世界？
3. 在白天的现实世界中，作者面对的冲突是什么？作者出游的缘起是什么？
4. 月下荷塘的"另有一番样子"是怎样的情形？
5. 月下荷塘的"另有一番样子"令作者产生了哪些体验或想象？

---

① 朱自清著《朱自清精品集》，北方文艺出版社2009年版，第17—18页。

这些体验或想象建构了一个怎样的虚幻世界?

6. 作者为什么要引入《采莲赋》与《西洲曲》?

7. 作者建构的四个世界之间是什么关系?通过这种关系,作者建构了自己怎样的精神历程?

作者在这篇散文中交代了自己的身份:一个年轻的知识分子(29岁),已经组建了家庭,有妻子,有孩子。作者在第一段中交代了这次出游的信息:一个满月的夏夜,“我”想起日日走过的荷塘,妻子正哄孩子睡觉,“我”独自一人去那里夜游。

作者在对这次夜游的描述中构建了四个世界:一个白天的现实世界,一个月光下的荷塘世界,一个当下想象的虚幻世界,一个千年前的文学世界。全文的第一句与最后一句叙述的是白天的现实世界;第二至六段描述的是月光下的荷塘世界;第三至五段中,作者从荷塘月色的世界中又生发、建构起一个想象的虚幻世界;第七至九段中,作者又从荷塘月色的世界与虚幻的想象世界进入一个千年前的文学世界。作者从一个世界进入另一个世界,四个世界续续相生,连跗接萼,建构起作者的精神历程。

白天的现实世界

在白天的现实世界中,作者面对的冲突是“这几天心里颇不宁静”。这个冲突使这篇散文一下子充满了活力,给后面发生的事件注入了动力。作者想借这次夜游,暂离白天的现实世界,到另一个世界中寻得一些内心的宁静,这是引发这次夜游的缘由之一。夏夜的月光触动了作者的好奇心,他“忽然想起日日走过的荷塘,在这满月的光里,总该另有一番样子吧”。月光下荷塘的另一番样子所触动的好奇心是引发这次夜游的缘由之二。

月光下的荷塘世界

日日走过的荷塘,在这满月的光里,总该另有一番样子吧。

“日日走过的荷塘”属于白天的现实世界，自有它的一番样子；月光下的荷塘属于夜晚的世界，该“另有一番样子”。关于月光下的荷塘，作者写了三个部分的景观，第一部分是荷塘边沿的小路（第二、三段），第二部分是荷塘里的荷叶、荷花、月亮的光影（第四、五段），第三部分是荷塘四周的树色、山色、路灯、蝉鸣、蛙声（第六段）。“另有一番样子”是一个关键句，统摄这三个部分的写景语言。“另有一番样子”又是什么样子呢?

荷塘边沿的小路，在白天，是“幽僻”的，“也少人走”；在没有月光的晚上，是“阴森森的”。而在夏夜淡淡的月光下，这条小路的另一番样子是“更加寂寞”，更加宁静、幽深。

荷塘里的景色，作者写了四个层次。静态的荷叶与荷花，是第一层次；微风过处，荷花清香的飘送，荷叶与荷花的颤动，是第二层次；月光“洗过”的荷叶与荷花，是第三层次；月亮的光与影在荷叶上的交织，是第四层次。

这四个层次的写景，用了很多隐喻。若是删去大部分隐喻，便呈现出如下一段修改后的文字：

曲曲折折的荷塘上面，弥望的是田田的叶子。叶子出水很高。层层的叶子中间，零星地点缀着些白花，有开着的，有打着朵儿的。微风过处，送来缕缕清香。这时候叶子与花也有一丝的颤动，霎时传过荷塘的那边去了。叶子本是肩并肩密密地挨着，这便宛然有了一道凝碧的波痕。叶子底下是脉脉的流水，遮住了，不能见一些颜色；而叶子却更见风致了。

月光静静地泻在这一片叶子和花上。薄薄的青雾浮起在荷塘里。虽然是满月，天上却有一层淡淡的云，所以不能朗照。月光是隔了树照过来的，高处丛生的灌木，落下参差的斑驳的黑影；弯弯的杨柳的稀疏的倩影，却又像是画在荷叶上。塘中的月色并不均匀。

这段修改后的文字呈现了月下荷塘的另一番样子，荷叶繁茂，荷花洁白，花香清淡，月色朦胧，光影交织。但是，这段修改后的文字与原文相比，在声色情味方面略逊一筹。作者在原文中借助了多处隐喻展现了月下荷塘更为生动的另一番样子。

在第一层次中，作者写荷叶，用的隐喻是“亭亭的舞女的裙”；写荷花，连用的隐喻是“一粒粒的明珠”“碧天里的星星”“刚出浴的美人”。

隐喻的本体可以被看作目标概念，喻体可以被看作源概念，背景可以被看作映射域，喻体的某些特征（包括这些特征的内在关系、涉及的认知模型等）转移到本体上，这种转移可以被称为“映射”。隐喻是源概念向目标概念的映射。

源概念有源概念域，目标概念有目标概念域。因此，隐喻也可以视作源概念域向目标概念域的映射，或者说，隐喻就是将源概念的认知模型映射到目标概念上。映射起的作用，就是将源概念域向目标概念域转移，转移的不只是个别的内在属性，而是整个认知模型的结构，包括这个结构的内部的关系或逻辑。

作者写荷叶，用的隐喻是“亭亭的舞女的裙”。“亭亭的舞女的裙”是源概念。在这个源概念的认知模型中，角色是“亭亭的舞女”，场景是舞台，活动是翩翩起舞，方式是借助舞蹈动作带动裙摆的舒展、飘动，目标是展现出飘逸、轻盈的舞姿。这个认知模型构成了“亭亭的舞女的裙”这个源概念的概念域。作者将“亭亭的舞女的裙”这个源概念的认知模型映射到此处的“荷叶”上，改变了此处“荷叶”的认知模型，使此处“荷叶”的认知模型中有了“亭亭的舞女的裙”的特点，建构起的意义是“荷叶的亭亭玉立、飘逸轻盈、风姿绰约”。

作者写荷花，连用的隐喻是“一粒粒的明珠”“碧天里的星星”“刚出浴的美人”。“一粒粒的明珠”呈现出荷花的光泽晶莹、纯净如玉。“碧天里的星星”展现出荷花的灵动。“刚出浴的美人”是这三个隐喻中最重要的一个，因为，前文的“袅娜”“羞涩”就是与之相呼应的。“刚出浴的美人”是源概念。在这个源概念的认知模型中，角色是“美女”，场景是浴池，活动是出浴，出浴的美人的身材是“袅娜”的，神情是“羞涩”的。作者将“刚出浴的美人”这个源概念的认知模型映射在此处的荷花上，赋予荷花以女性化的姿态，建构起的意义是“荷花的体态婀娜、妩媚动人、无比娇羞”。

第二层次写的是荷塘的动态景观。微风过处，荷塘中发生了两处变化，一是送来缕缕的清香，二是荷叶与荷花的颤动。作者先用“远处高楼上渺茫的歌声”隐喻“缕缕的清香”（修辞格上称为“通感”）。“远处高楼上渺茫的歌声”是源概念。在“远处高楼上渺茫的歌声”这个认知模型中，角色是听者、歌者，场景是听者在平地上，歌者在远处的高楼上，方式是听者驻足侧耳，目的是欣赏这由远及近、节奏隐然、飘忽不定、幽婉低回的歌声。作者将“远处高楼上渺茫的歌声”这个源概念的认知模型映射在“缕缕的清香”上，建构起的意义是“这缕缕的清香时断时续、似有似无，屡屡拨动着作者的心弦，令其心向往之”。作者再用“一道凝碧的波痕”隐喻叶子的颤动，表现出荷叶的繁盛——简直可以构成一片碧绿的“水面”，展现出荷叶并排颤动时的“荡漾”姿态。

第三层次写月光。月光不是朗照，月光与花、叶之间隔了一层淡淡的云，又隔了一层薄薄的青雾，因此，作者用“在牛乳中洗过”隐喻月光对叶子与花的滋润，用“笼着轻纱的梦”隐喻月光给花、叶蒙上了一层神秘、朦胧的色彩。第四层次写荷叶上光影的交织，用“梵婀玲上奏着的名曲”隐喻光影交织的浪漫。

在这四个层次的景观中，景物不断叠加，画面层次感不断增加，从单写花、叶到写微风中的花、叶，再到写月光下的花、叶，最后写花、叶上的光影交织；喻体的动态感越来越强，从“亭亭的舞女的裙”“一粒粒的明珠”“碧天里的星星”“刚出浴的美人”到“远处高楼上渺茫的歌声”“一道凝碧的波痕”，从“在牛乳中洗过”“笼着轻纱的梦”到“梵婀玲上奏着的名曲”；语言的意义之间构成了一定的层进性，从花、叶的风姿到微风吹拂下的花、叶的风致，到月色笼罩下的朦胧的荷塘风情，再到光影交织下的浪漫的荷塘风韵。作者极有层次地刻画了月光下荷塘的另一番样子。

荷塘四周，树色、山色是阴阴的，仅有轮廓与大意；路灯是没精打采的；蝉鸣、蛙声是热闹的，反衬出荷塘是宁静的。这是荷塘四周的另一番样子。

虚幻的想象世界

在白天的现实世界中，作者受到社会规范、道德伦理、价值观念的束缚，受到各种生活压力的束缚，他的行为是有限的自由，有些事一定要做，有些话一定要说，他的心灵也是有限的自由，有些必须想，有些不宜多想，有些心念一起，也许就得遏制住……月光下的荷塘小路更加寂寞，更加宁静、幽深，作者独自徘徊在这条小路上，感觉这番天地好像都是他的，感觉自己“超出了平常的自己”，到了另一个世界里，这个世界不仅仅是眼前的月下荷塘，还是一个极度自由的心灵世界。在这个极度自由的心灵世界里，作者可以不理会白天必须做的事、必须说的话，什么都可以想，什么都可以不想，可以完全释放“本我”，释放自己内心深处的潜意识，可以让自己的思绪自由驰骋。

释放了的潜意识与月下荷塘里的景物相互碰触，便建构起一个想象的虚幻世界。这是作者进入的第三个世界。作者使用了多个隐喻，不仅仅是将熟知的喻体的特征映射在荷塘这个外部世界的种种事物上，同时还在内心营造了一个更为丰富的想象世界。他列举的种种喻体组合在一起建构了一个无比曼妙的想象世界：亭亭的舞女，肩并肩，密密地挨着，在微风中翩翩起舞；刚出浴的美人，体态袅娜，神情羞涩；远处高楼上传来渺茫的歌声；月光隔着淡淡的云、薄薄的青雾泻在人间，舞女、美人仿佛在牛乳中洗过，肌肤显得更为细嫩光滑，这番景象又像笼着轻纱的梦，朦朦胧胧，似真似幻；梵婀玲上奏着名曲，为亭亭的舞女伴奏，为出浴的美人助兴，且与渺茫的歌声应和，悠扬低回的乐声荡漾在这个朦朦胧胧的梦境中……月光下的荷塘世界与想象的虚幻世界重合在一起，一实一虚，虚实相生。作者的思绪自由驰骋在两个世界之间，他的内心沉醉在这两个美妙的世界中，他寻得了暂时的宁静。

千年前的文学世界

荷塘世界中的荷花与想象世界中的美女又触发了作者新的联想，他自由驰骋的思绪又进入千年前的一个文学世界，那里是南朝的江南，有采莲的旧俗，有少男少女的嬉戏，有女子的相思。他节录了两篇采莲的诗文，一篇《采莲赋》，一篇《西洲曲》。《采莲赋》是南朝梁元帝的抒情小赋，以莲起，以莲结，中间描绘了少男少女荡舟嬉戏的场景，写到了少女曼妙的身姿，写到了唱艳歌、传酒杯的欢愉，写到了船行而心动的微妙情愫。作者节录的是中间部分。《西洲曲》是南朝无名氏创作的乐府民歌，刻画了一位美丽轻灵、纯洁多情的少女在秋天采莲时对情侣的思念之情。作者节录的是全诗最精华的四句，这四句通过“采莲”“弄莲”有层次地表现了女子细腻的情感，“清如水”的莲子暗示女子的爱情的纯洁。前一段诗文展现了少女们情窦初开时的欢愉，后一段诗文描述了女子相思之情的缠绵。作者节录前一段，流露出对那风流季节的向往——“可见当时嬉游的光景了。这真是有趣的事，可惜我们现在早已无福消受了”；作者节录后一段，展露了对这种缠绵悱恻的相思之苦的共情——“今晚若有采莲人，这儿的莲花也算得‘过人头’了；只不见一些流水的影子，是不行的”。无论是情窦初开时的欢愉，还是相思之时的缠绵，都是最纯真的爱情。文学世界中的这些最纯真的爱情令作者心驰神往。在那个纯美的情感世界中，作者又寻得了一份宁静。

在白天的现实世界中，作者“心里颇不宁静”，他想暂别这白天的现实世界，寻找一些暂时的宁静，夏夜的月光是一个机缘，触动了他的内心，他走进了月下的荷塘世界。月下的荷塘是另一个世界，他欣赏到了另一番样子；而月下荷塘的世界又是一个宁静的世界、自由的世界，迷人的风景与自由的氛围触动了作者的内心，他在内心又建构起一个想象的虚幻世界，一个充满了浪漫的艺术气息的虚幻世界：他的内心游走于一实一虚的两个世界之间，他在自然的美景与艺术的浪漫中寻得了暂时的宁静。荷塘的荷花与虚幻世界中的美女又令作者的心绪进入历史的长河，他在千年前的文学世界中感受到一个风流的世界、一个纯美的爱情世界，如果说第三个想象的虚幻世界还是与现实的月下荷塘世界交错着的，作者的思绪还往来于现实与虚幻之间，那么此时的作者可以说是已经完全沉醉于千年前的文学世界，已经完全出神入迷了，已经彻底摆脱了现实世界，以至于“这样想着，猛一抬头，不觉已是自己的门前”。

结 论

白天的现实世界是有束缚的，月下的荷塘世界是寂寞、宁静、自由、优美的，想象的虚幻世界是朦胧、浪漫的，千年前的文学世界是风流、纯美的。作者从白天的现实世界中抽离，到月下的荷塘世界，再到想象的虚幻世界，再到千年前的文学世界，最后回到现实。他从“心里颇不宁静”，到“像超出了平常的自己……便觉是个自由的人”，再到“且受用这无边的荷香月色好了”，再到沉醉于风流、纯美的情感世界，他寻得了暂时的宁静。四个世界，续续相生，连跗接萼，摇曳无穷，情味愈出。

这便是作者在对这次出游的所见所思的描述中所建构的自己的精神历程。而这段精神历程也呈现了一个复杂的“自我”。这一复杂的“自我”不仅仅“爱热闹，也爱冷静；爱群居，也爱独处”，这一复杂的“自我”还会在特定的环境中释放自己的潜意识，还会在古典文学的畅想与西洋艺术的审美中寻求心灵的慰藉，还会努力用暂时的宁静去摆脱现实的压抑……读者不仅可以从这篇散文中感受到一个有趣的头脑，还可以从中体悟到作者的散文创作追求——“我意在表现自己”。

曲折跌宕　长歌当哭
——解读《记念刘和珍君》

《记念刘和珍君》是鲁迅写的一篇散文，原文于1926年4月12日发表在《语丝》周刊第七十四期，后收录在《华盖集续编》。刘和珍是北京学生运动的领袖之一，1926年在“三一八”惨案中遇害，年仅22岁。作者为什么要“记念刘和珍君”？这是解读这篇散文的核心问题。要解决这个核心问题，可以思考如下一些问题：

1. 写作这篇文章的缘起是什么？这一缘起触动了作者哪些思绪？作者用怎样的语言形式呈现这些思绪？为什么用这样的语言形式？作者是如何将这些内容连缀起来的？为什么采用这样的组织结构？

2. 关于刘和珍，作者追忆了哪些往事？

3. 第一段往事发生在哪些时空背景下？作者用怎样的语言形式表述这些时空背景？为什么用这样的语言形式？在这些特定的时空背景中，作者见到了什么、感受到些什么？

4. 第二段往事中，作者记述了哪些内容？作者用怎样的语言形式记述这些内容？作者是如何将这些内容连缀起来的？为什么采用这样的组织结构？

5. 作者立足于哪些时空背景来审视死伤者的意义？在每个时空背景中，作者从哪些人的角度审视死伤者的意义？作者分别揭示了哪些意义？这些意义之间是什么关系？作者揭示这些意义及意义之间的关系，想表达什么？

6. 作者如何连缀写作缘起、往事及往事的意义？为什么采用这样的组织结构？

写作的缘起

这篇文章分为七节（每节小标题即为节次），写作缘起（第一、二节）是作者与程君的一段对话。这段对话发生在一个特定的时空，时间是中华民国十五年三月二十五日，即“国立北京女子师范大学为十八日在段祺瑞执政府前遇害的刘和珍杨德群两君开追悼会的那一天”，地点是女子师范大学的礼堂外。对话双方内心都不平静，“我独在礼堂外徘徊”，“她就正告我，‘先生还是写一点罢；刘和珍生前就很爱看先生的文章’”。

程君的正告，表达了两层意思，一是“先生还是写一点罢”，二是“刘和珍生前就很爱看先生的文章”。这两层意思触动了作者的思绪。第二层意思令作者想到刘和珍生前曾毅然预定了全年的《莽原》。第一层意思令作者意识到与刘和珍亲近的生者需要一篇悼念文章作为心灵的安慰。

作者表述第一段思绪用了一个转折复句，这个转折复句中还嵌套了一个因果复句：

> “刘和珍生前就很爱看先生的文章。”这是我知道的，凡我所编辑的期刊，大概是因为往往有始无终之故罢，销行一向就甚为寥落，然而在这样的生活艰难中，毅然预定了《莽原》全年的就有她。

作者在《呐喊·自序》中说过：“凡是愚弱的国民，即使体格如何健全，如何茁壮，也只能做毫无意义的示众的材料和看客，病死多少是不必以为不幸的。所以我们的第一要著，是在改变他们的精神，而善于改变精神的是，我那时以为当然要推文艺，于是想提倡文艺运动了。”因此，作者编辑期刊，也是秉持这样的宗旨。他创办《莽原》的宗旨是“希望中国的青年站起来，对于中国的社会，文明，都毫无忌惮地加以批评”(《华盖集·题记》)，“我之以《莽原》起哄，大半也就为了想由此引些新的这一种批评者来，虽在割去弊舌之后，也还有人说话，继续撕去旧社会的假面”(《两地书·一七》)。鲁迅就是这样一个反抗者、战斗者，不断地与旧时代、旧思想做斗争。嵌入一个因果复句，说明这个斗争过程的艰难，用一个转折复句则表现了在如此艰难的斗争过程中，刘和珍是“我”的知音，是“我”的坚定的支持者。因此，“我”也早觉得有写一点东西的必要了。

作者表述第二段思绪连用了两个转折复句，还嵌入了一个假设复句：

“先生还是写一点罢。”我也早觉得有写一点东西的必要了，这虽然于死者毫不相干，但在生者，却大抵只能如此而已。倘使我能够相信真有所谓“在天之灵”，那自然可以得到更大的安慰，——但是，现在，却只能如此而已。

“倘使我能够相信真有所谓‘在天之灵’，那自然可以得到更大的安慰”，这个假设复句回应前文的“于死者毫不相干”，“于死者毫不相干”表示作者并不相信有所谓的“在天之灵”。而嵌入这个假设复句，实则表示作者借这样一种虚拟语气表达强烈的悲痛之情。连用两个转折复句表达刘和珍的死引发了亲朋好友的无尽悲痛。这些生者的内心需要安慰，因此，“我”也早觉得有写一点东西的必要了。

“我也早觉得有写一点东西的必要了”，又引出了“我实在无话可说”。由此又触发了两段思绪，一是想到了“四十多个青年的血”，二是想到了“此后几个所谓学者文人的阴险的论调”。写前一段思绪表达了作者强烈的悲痛之情以及对段政府暴行的强烈控诉；写后一段思绪表达了对流言家的鞭挞，流露出强烈的悲哀：两者都让作者觉得自己处于“非人间”。这两段思绪与“我实在无话可说”构成因果关系，可以表述为如下一组因果复句：

我实在无话可说。因为我只觉得所住的并非人间。四十多个青年的血，洋溢在我的周围，使我艰于呼吸视听，那里还能有什么言语？长歌当哭，是必须在痛定之后的。又因为此后几个所谓学者文人的阴险的论调，尤使我觉得悲哀。我已经出离愤怒了。我将深味这非人间的浓黑的悲凉；以我的最大哀痛显示于非人间，使它们快意于我的苦痛，就将这作为后死者的菲薄的祭品，奉献于逝者的灵前。

作者借助这组因果复句不仅揭示了无话可说的原因，还展现了自己复杂的情感变化过程——从悲痛到悲哀，到深味这非人间的浓黑的悲凉，到最大哀痛，到苦痛。而呈现这种情感体验的语言中也凝聚着作者继续战斗的决心——必须改变这“非人的世界”，必须揭露段政府的暴行，必须鞭挞流言家的卑劣，因此，“我”也早觉得有写一点东西的必要了。

“非人间”的体验又引出了第五段思绪，作者想到了“真的猛士”的人生态度与造化设计的现实。“真的猛士”的理想是改变这“非人的世界”。“真的猛士”敢于直面惨淡的人生，即在生活中屡屡遭受挫折与痛苦，常常感到孤独与失望，但是依然能在绝望中生出希望，依然有确信，不自欺，前赴后继地战斗着；“真的猛士”敢于正视淋漓的鲜血，即清醒地认识到斗争的残酷性，但是依然义无反顾地沉着而长期地战斗着。这些人在作者看来是一些独特的哀痛者和幸福者。造化设计的现实是用时间的流逝冲淡庸人的记忆，让庸人苟且偷生，而庸人的忘却与苟且偷生的结果是无尽地维持着“非人的世界”。作者用一组转折复句表述了这两者之间的关系：

真的猛士，敢于直面惨淡的人生，敢于正视淋漓的鲜血。这是怎样的哀痛者和幸福者？然而造化又常常为庸人设计，以时间的流驶，来洗涤旧迹，仅使留下淡红的血色和微漠的悲哀。在这淡红的血色和微漠的悲哀中，又给人暂得偷生，维持着这似人非人的世界。

“真的猛士”的理想、努力与造化设计的现实之间构成了强烈的反差，作者用一组转折复句表述了两者的反差，且将造化的设计置于“然而”之后，重点强调了现实的无比残酷。由此提出了“我也早觉得有写一点东西的必要了”的另外两点理由：一是唤醒民众，二是为真正的猛士呐喊。

因为，造化又常常为庸人设计，以时间的流驶，来洗涤旧迹，仅使留下淡红的血色和微漠的悲哀。在这淡红的血色和微漠的悲哀中，又给人暂得偷生，维持着这似人非人的世界。我不知道这样的世界何时是一个尽头！又因为，离三月十八日也已有两星期，忘却的救主快要降临了罢。所以，我也早觉得有写一点东西的必要了。

真的猛士，敢于直面惨淡的人生，敢于正视淋漓的鲜血。这是怎样的哀痛者和幸福者？我们还在这样的世上活着，要呐喊几声，聊以慰藉那在寂寞里奔驰的猛士，使他不惮于前驱（《呐喊·自序》），所以，我也早觉得有写一点东西的必要了。

作者叙述第一、二、五段思绪多用转折复句，叙述第三、四段思绪则是直抒胸臆，通过这些语言形式呈现了作者内心强烈的感情波澜，表达了写作此文的五点理由。这五点理由可以呈现为如下一组因果复句：

之所以我也早觉得有写一点东西的必要了，是因为刘和珍是“我”的知音，是“我”的坚定的支持者，且刘和珍的死引发了亲朋好友的无尽悲痛，这些生者的内心需要安慰，是因为必须揭露段政府的暴行，是因为必须鞭挞流言家的卑劣，是因为庸人会忘却“三一八”惨案，会继续苟且偷生，这“非人的世界”依然会维持，是因为我们还在这样的世上活着，要呐喊几声，聊以慰藉那在寂寞里奔驰的猛士，使他不惮于前驱。

这五段思绪呈现了五点写作的理由，这五点写作的理由之间构成递进关系，层层深入地揭示了这篇文章的五个写作价值——哀悼、揭露、鞭挞、唤醒、呐喊。但是，作者没有采用递进复句或因果复句，而是采用了两个转折复句连缀这五段思绪：

虽然我也早觉得有写一点东西的必要了，可是我实在无话可说。

虽然我实在无话可说，但是我也早觉得有写一点东西的必要了。

第一个转折复句衔接了第一、二段思绪与第三、四段思绪。第二个转折复句衔接了第三、四段思绪与第五段思绪。这两个转折复句看似矛盾，实则不矛盾。此处的“无话可说”不是指作者没有要说的话，而是指作者有很多话要说，但是由于情绪的激动，一时说不出来，此处的“无话可说”表示一种无奈、激奋的情感。作者用两个看似矛盾的转折复句衔接五段思绪，构成了跌宕的文势，每转折一次，写作这篇文章的价值就推进一层，每转折一次，作者内心的情感强度就加深一层。作者借助这一转再转、一宕再宕的语言形式，表现了此文写作意义的层进性及情感的跌宕起伏。

写作缘起部分的五段思绪之间的逻辑关系可以表述为如下一组复句：

“刘和珍生前就很爱看先生的文章。”这是我知道的，因为凡我所编辑的期刊，大概是因为往往有始无终之故罢，销行一向就甚为寥落，然而在这样的生活艰难中，毅然预定了《莽原》全年的就有她。

“先生还是写一点罢。”我也早觉得有写一点东西的必要了，这虽然于死者毫不相干，但在生者，却大抵只能如此而已。倘使我能够相信真有所谓“在天之灵”，那自然可以得到更大的安慰，——但是，现在，却只能如此而已。

虽然我也早觉得有写一点东西的必要了，可是我实在无话可说。因为我只觉得所住的并非人间。四十多个青年的血，洋溢在我的周围，使我艰于呼吸视听，那里还能有什么言语？长歌当哭，是必须在痛定之后的。又因为此后几个所谓学者文人的阴险的论调，尤使我觉得悲哀。我已经出离愤怒了。我将深味这非人间的浓黑的悲凉；以我的最大哀痛显示于非人间，使它们快意于我的苦痛，就将这作为后死者的菲薄的祭品，奉献于逝者的灵前。

虽然我实在无话可说，但是我也早觉得有写一点东西的必要了。因为造化又常常为庸人设计，以时间的流驶，来洗涤旧迹，仅使留下淡红的血色和微漠的悲哀。在这淡红的血色和微漠的悲哀中，又给人暂得偷生，维持着这似人非人的世界。我不知道这样的世界何时是一个尽头！又因为离三月十八日也已有两星期，忘却的救主快要降临了罢。还因为，真的猛士，敢于直面惨淡的人生，敢于正视淋漓的鲜血，这是怎样的哀痛者和幸福者？我们还在这样的世上活着，要呐喊几声，聊以慰藉那在寂寞里奔驰的猛士，使他不惮于前驱。

而这五段思绪又引出这篇散文思路上的五条支线，一是指向刘和珍，二是指向段政府（包括反动卫队），三是指向流言家，四是指向庸众，五是指向真正的猛士。

关于刘和珍，作者追忆了两段往事，一是女子师范大学的学潮，二是“三一八”惨案。

追忆去年的学潮

前一段往事，发生在四个时空背景中，具体如下：

是在去年夏初杨荫榆女士做女子师范大学校长，开除校中六个学生自治会职员的时候

也许已经是刘百昭率领男女武将，强拖出校之后了

待到偏安于宗帽胡同，赁屋授课之后

待到学校恢复旧观，往日的教职员以为责任已尽，准备陆续引退的时候

前两个表述类似英语中的定语从句，后两个表述类似英语中的时间状语从句。作者用这种非常欧化的长句表述这些时空背景，呈现出刘和珍面对的各种冲突或困境——被杨荫榆开除，被刘百昭等强拖出校，被剥夺听课的权利，母校前途暗淡。作者在表述前三个时空背景的语言中暗示了刘和珍为了母校自治的理想与强权势力的种种抗争，彰显出刘和珍干练坚决、百折不回的气概；在

表述第四个时空背景的语言中暗示了刘和珍始终关心母校的发展前景，为彰显她的大格局做准备。

作者在这四个特定时空背景中所记述的是自己与刘和珍交往中的若干个“第一次”：

她的姓名第一次为我所见

才有人指着一个学生告诉我，说：这就是刘和珍。其时我才能将姓名和实体联合起来

她才始来听我的讲义，于是见面的回数就较多了，也还是始终微笑着，态度很温和

我才见她虑及母校前途，黯然至于泣下

除了在第一个时空背景中用了“第一次”，其余多用“才”(刚刚)。第一次见到了刘和珍的名字；第一次见到了刘和珍其人(“其时我才能将姓名和实体联合起来”)；第一次见到刘和珍来听讲义，“始终微笑着，态度很温和”；第一次见到刘和珍黯然至于泣下。而作者在四个特定时空背景中叙述这些“第一次”时，又或显或隐地用了四个转折复句：

其中的一个就是她；但是我不认识。

能够不为势利所屈，反抗一广有羽翼的校长的学生，无论如何，总该是有些桀骜锋利的，但她却常常微笑着，态度很温和。

虽然偏安于宗帽胡同，赁屋授课，但是她始终微笑着，态度很温和。

虽然刘和珍始终微笑着，态度很温和，但是她虑及母校前途，黯然至于泣下。

这四处转折暗示了四个“第一次”都令作者产生极不寻常的感受。作者从一份特殊的名单中第一次知道刘和珍的名字，他意识到刘和珍是一名有新思想且敢于抗争的学生，他用第一个转折复句暗示了自己虽然不认识刘和珍，但是他记住了这个名字，暗生一股赞叹之情。作者第一次认识刘和珍其人，不仅感慨于刘和珍的抗争精神，还感慨于刘和珍的温文尔雅，作者的已有认识是“能够不为势利所屈，反抗一广有羽翼的校长的学生，无论如何，总该是有些桀骜锋利的”，作者所见的事实是“她却常常微笑着，态度很温和”，作者用第二个转折复句表达了自己的诧异。作者第一次见刘和珍来听课，是在宗帽胡同，赁屋授课时，作者见刘和珍即使身处困境却依然温文尔雅，作者用一个隐含的转折复句表达了一丝钦佩。作者见刘和珍始终微笑着，从不见她为个人得失流泪，而作者第一次见她流泪竟然是为了母校的前途，作者又用一个隐含的转折复句暗示了自己为刘和珍的大格局所感动。

作者追忆第一件往事，记述了四个特定时空背景中的“第一次”，用了四段简洁的叙述勾勒了自己不断深入认识刘和珍的过程，用四个或显或隐的转折复句表现了自己思想情感的变化过程，有赞叹，有诧异，有钦佩，有感动。在这个过程中，作者一以贯之的情感是“那干练坚决，百折不回的气概，曾经屡次为之感叹”，而留给作者印象最深的细节是“始终微笑着，态度很温和”。

“此后似乎就不相见。总之，在我的记忆上，那一次就是永别了。”这一句中饱含着作者无尽的伤感。

追忆“三一八”惨案

去年学潮中的往事，多是作者亲见；今年“三一八”惨案，多是作者亲闻。作者记述了四段亲闻的材料：

下午便得到噩耗，说卫队居然开枪，死伤至数百人，而刘和珍君即在遇害者之列。

段政府就有令，说她们是“暴徒”！

接着就有流言，说她们是受人利用的。

我没有亲见；听说，她，刘和珍君，那时是欣然前往的……于是死掉了。

又记述了一段亲见的事实：

即日证明是事实了，作证的便是她自己的尸骸。还有一具，是杨德群君的。而且又证明着这不但是杀害，简直是虐杀，因为身体上还有棍棒的伤痕。

作者先陈述第一段亲闻的材料，再发表自己的看法——“但我对于这些传说，竟至于颇为怀疑”，作者用一个转折连词表达这两者之间的关系。作者发表了看法之后，又陈述了两点理由，理由一是“我向来是不惮以最坏的恶意，来推测中国人的，然而我还不料，也不信竟会下劣凶残到这地步”，理由二是“况且始终微笑着的和蔼的刘和珍君，更何至于无端在府门前喋血呢”，作者用一个递进连词表达两个理由之间的关系，又用一个隐含的因果复句表达了自己的看法与两点理由之间的关系。作者还用一个转折复句表达了自己的看法与即日所见事实的关系。这部分的内容可以表述为如下一组复杂的复句：

虽然我在十八日早晨，才知道上午有群众向执政府请愿的事；下午便得到噩耗，说卫队居然开枪，死伤至数百人，而刘和珍君即在遇害者之列。但我对于这些传说，竟至于颇为怀疑。因为虽然我向来是不惮以最坏的恶意，来推测中国人的，然而我还不料，也不信竟会下劣凶残到这地步。况且因为始终微笑着的和蔼的刘和珍君，更何至于无端在府门前喋血呢？

虽然我对于这些传说，竟至于颇为怀疑，然而即日证明是事实了，作证的便是她自己的尸骸。还有一具，是杨德群君的。而且又证明着这不但是杀害，简直是虐杀，因为身体上还有棍棒的伤痕。

怀疑的第一个理由直接着眼于段政府，怀疑的第二个理由先着眼于刘和珍，进而着眼于段政府。作者用一个转折复句陈述怀疑的第一个理由——“虽然我向来是不惮以最坏的恶意，来推测中国人的，然而我还不料，也不信竟会下劣凶残到这地步”，表示枪杀手无寸铁的群众的下劣凶残程度是突破作者对“恶”的认知极限的。在这个转折复句的基础上累加一个递进复句陈述怀疑的第二个理由——“况且始终微笑着的和蔼的刘和珍君，更何至于无端在府门前喋血呢”，表示枪杀“始终微笑着的和蔼的刘和珍君”的下劣凶残程度是进一步突破作者对“恶”的认知极限的。作者用一个转折复句陈述了传闻与怀疑之间的关系，再用第二个转折复句陈述怀疑与事实之间的关系，他通过几组分句之间构成的双重冲突展现出段政府的下劣凶残的程度已经远远超出了自己的认知极限，表达了自己强烈的愤慨与不满。

作者用一个转折复句表述事实与第二段亲闻的材料之间的关系，又用一个转折复句表述事实与第三段亲闻的材料之间的关系。

虽然即日证明是事实了——卫队居然开枪，死伤至数百人，而刘和珍君即在遇害者之列，又证明着这不但是杀害，简直是虐杀，因为身体上还有棍棒的伤痕，但段政府就有令，说她们是“暴徒”！

虽然即日证明是事实了——卫队居然开枪，死伤至数百人，而刘和珍君即在遇害者之列，又证明着这不但是杀害，简直是虐杀，因为身体上还有棍棒的伤痕，但接着就有流言，说她们是受人利用的。

作者再次运用两组转折复句，构建语言之间的冲突，并将“但是”部分的分句单列成段，凸显段政府、流言家颠倒黑白、混淆视听的卑劣，表达自己的激愤。

作者在这部分的表达在思路层面紧扣了两条支线，一是指向段政府，二是指向流言家。作者用密集的转折复句建立起亲闻与看法、看法与事实、事实与亲闻之间的关系，在语言之间构建起一个个认知与情感的冲突，营造出起伏跌宕的文势，通过这种极富张力的语言形式无情地批判了段政府的凶残与流言家的下劣，表现了自己波澜起伏的内心情感变化过程。

第三、四节最终又收束于“我还有什么话可说呢”，而作者在此基础上又火山爆发式地喊出了“我懂得衰亡民族之所以默无声息的缘由了。沉默呵，沉默呵！不在沉默中爆发，就在沉默中灭亡”。作者用“不在……就在……”这样一个表示取舍的选择复句表达了沉默只会灭亡，沉默中的“爆发”才是唯一的出路，借此既是警告反动派，又是号召民众奋起战斗。

作者记述了第四段亲闻的材料，分述了三名女学生在弹雨中互相救助的场景，用叙述的语言分别交代了三名女学生中弹的细节，用这些凝聚着感情的事实控诉了卫队的凶残。其中两次用到转折复句：

> 刘和珍君，那时是欣然前往的。自然，请愿而已，稍有人心者，谁也不会料到有这样的罗网。但竟在执政府前中弹了，从背部入，斜穿心肺，已是致命的创伤，只是没有便死。同去的张静淑君想扶起她，中了四弹，其一是手枪，立仆；同去的杨德群君又想去扶起她，也被击，弹从左肩入，穿胸偏右出，也立仆。但她还能坐起来，一个兵在她头部及胸部猛击两棍，于是死掉了。

作者用这两个转折复句传递出自己的震惊，前者震惊于段政府卫队的杀戮行径，后者震惊于卫队的虐杀暴行。

作者分述了三名女学生在弹雨中互相救助的事实之后，又分述了她们的结局。作者在谓语部分交代了三名女学生的结局——两死一伤，在主语称谓上都用了“君”这个敬称，在主语前缀上三个带有评价性质的定语从而分别赞赏了三名女学生的优秀品格——“始终微笑的和蔼的”“沉勇而友爱的”“一样沉勇而友爱的”，通过将带有褒扬色彩的主语部分与带有悲剧色彩的谓语部分并置，表达了强烈的痛惜之情，又两次强调“有她自己的尸骸为证”，有力地回击了段政府、流言家的谎言——“说她们是‘暴徒’”“说她们是受人利用的”，撕开了他们的伪装。

作者记述了“三一八”惨案的过程与结果，对此发表了两句议论：

当三个女子从容地转辗于文明人所发明的枪弹的攒射中的时候，这是怎样的一个惊心动魄的伟大呵！中国军人的屠戮妇婴的伟绩，八国联军的惩创学生的武功，不幸全被这几缕血痕抹杀了。

前一句是评过程，后一句是评结果。这两句都将三名女学生与反动军队并置，用反语描述反动军队卑劣的所作所为——“文明人所发明的枪弹的攒射”“中国军人的屠戮妇婴的伟绩”“八国联军的惩创学生的武功”，用褒义色彩的语言赞美三名女子的勇毅——“从容”“这是怎样的一个惊心动魄的伟大呵”“不幸全被这几缕血痕抹杀了”，评价褒贬的反差之大，讽刺了反动军队的无耻，讴歌了三名女学生精神的伟大。再用一个转折复句——“但是中外的杀人者却居然昂起头来，不知道个个脸上有着血污”，进一步批判杀人者的恬不知耻。

这篇散文的第五节分为三个层次，先记述过程，再记述结果，最后发表评论。记述过程以看似客观的事实叙述为主，记述结果以看似客观的叙述为主，嵌入带有感情色彩的定语或称谓（比如“沉勇而友爱”“君”），评论部分以议论为主，加入强烈的感叹语气。这种语言形式的转换暗示了作者的情感强度不断递增，对段政府暴行的痛恨之情层层推进，对三名女学生的赞美之情层层推进。

追忆“三一八”惨案，分设了两个部分：前一部分主要指向段政府、流言家（第四节），批判他们的凶残下劣；后一部分主要指向刘和珍等人，赞美她们的勇毅友爱，讽刺段政府的恬不知耻（第五节）。作者又用了一组“无话可说”与“有话要说”的转折复句连缀了这两个部分：

我还有什么话可说呢？

但是，我还有要说的话。

借助这种曲折跌宕的行文思路，再次表现了意义的推进——对三名女学生的评价不断拔擢，从“沉勇而友爱”到“惊心动魄的伟大”，再到抹杀“屠戮妇婴的伟绩”“惩创学生的武功”；再次表现了情感的起伏——痛恨之情一层胜似一层，赞美之情一浪高过一浪。而这种意义的推进与情感的起伏也回应了前文作者对刘和珍的称谓——“她不是‘苟活到现在的我’的学生，是为了中国而死的中国的青年”。

当下的意义与将来的意义

作者立足于两个时空背景来审视死伤者的意义：一是立足于当下的中国（民国十五年），二是立足于将来的中国。

作者立足于当下的中国，先从庸众的角度审视死伤者的意义，觉得这些年轻人的牺牲几乎没有什么特别的意义，庸众几乎忘却了这几个生命，继续苟且偷生，“时间永是流驶，街市依旧太平，有限的几个生命，在中国是不算什么的”；从庸众中的闲人的角度审视死伤者的意义，“至多，不过供无恶意的闲人以饭后的谈资，或者给有恶意的闲人作‘流言’的种子”。这正如《娜拉走后怎样》所写的：“只是这牺牲的适意是属于自己的，与志士们之所谓为社会者无涉。群众，——尤其是中国的，——永远是戏剧的看客。牺牲上场，如果显得慷慨，他们就看了悲壮剧；如果显得觳觫，他们就看了滑稽剧。北京的羊肉铺前常有几个人张着嘴看剥羊，仿佛颇愉快，人的牺牲能给与他们的益处，也不过如此。而况事后走不几步，他们并这一点愉快也就忘却了。”这也正回应了前文所说的“造化又常常为庸人设计，以时间的流驶，来洗涤旧迹，仅使留下淡红的血色和微漠的悲哀。在这淡红的血色和微漠的悲哀中，又给人暂得偷生，维持着这似人非人的世界。我不知道这样的世界何时是一个尽头”。

作者立足于当下的中国，又从当下对敌斗争的成效的角度审视死伤者的意义，觉得这样的斗争所付出的代价极大，获得的成效却极小——“至于此外的深的意义，我总觉得很寥寥”，因为人类的血战往往是付出极大的伤亡，收获极少的成果（作者用煤的形成作喻），而刘和珍们的徒手请愿还不属于血战前行。作者赞赏像刘和珍这样的热血青年的斗争精神，但不主张用这种斗争方式（在作者看来，刘和珍不属于真正的猛士），作者认为“正无需乎震骇一时的牺牲，不如深沉的韧性的战斗”（《娜拉走后怎样》）。

作者在阐释这两重意义的同时也揭示了当时中国社会的特征——民众的愚昧麻木、敌人的残酷无耻。这正是真正的猛士所面对的现实——“惨淡的人生”“淋漓的鲜血”，这也正是真正的猛士寂寞的原因之所在。

作者立足于当下的中国，在阐释这两重意义的基础上，又从亲族、师友、爱人的角度审视死伤者的意义，觉得要扩大死伤者的意义——“也当浸渍了亲族，师友，爱人的心，纵使时光流驶，洗成绯红，也会在微漠的悲哀中永存微笑的和蔼的旧影”，也即亲族、师友、爱人将永远缅怀这些年轻的生命。接着，作者特意借用陶渊明的《挽歌》来表达这份无尽的悲伤之情。

作者用一个转折复句连缀前两重意义与第三重意义之间的关系，强调了在当时残酷的社会现实面前牺牲了的青年的音容笑貌仍将为亲族、师友、爱人们所铭记。

作者回溯“三一八”惨案，再次申明自己“向来是不惮以最坏的恶意来推测中国人的”，然后用一个转折复句指出“三一八”惨案令他感到三个意外，“一是当局者竟会这样地凶残，一是流言家竟至如此之下劣，一是中国的女性临难竟能如是之从容”。第一个意外收束第二条支线，批判段政府（包括卫队）的凶残，第二个意外收束第三条支线，揭露流言家的下劣，第三个意外收束第一条支线关于刘和珍的两件往事，引出“中国女子的办事”对于将来的意义。

是始于去年的，虽然是少数，但看那干练坚决，百折不回的气概，曾经屡次为之感叹。

至于这一回在弹雨中互相救助，虽殒身不恤的事实，则更足为中国女子的勇毅，虽遭阴谋秘计，压抑至数千年，而终于没有消亡的明证了。

“是始于去年的”这一句收束去年的学潮，作者感慨于以刘和珍为代表的中国女子的干练坚决、百折不回的气概。“至于这一回”这一句收束“三一八”惨案，作者感慨于中国女子的勇毅，作者在这个长句中嵌入一个转折复句表述中国历史上妇女的遭遇与境况——“遭阴谋秘计，压抑至数千年”，再将其与“在弹雨中互相救助，虽殒身不恤的事实”形成比对，强调中国女子的勇毅在如此压迫之下终于没有消亡。中国女子的“干练坚决，百折不回的气概”与“勇毅”是作者赋予“去年的学潮”与“三一八”惨案的更深的意义。

作者放眼将来，从自己（苟活者）与真正的猛士的角度审视刘和珍等死伤者的意义。

从自己（苟活者）的角度，他看到了民族的希望，“苟活者在淡红的血色中，会依稀看见微茫的希望”。然而，这个希望是“微茫的”。“微茫的”这个限定语收束了第四条支线，指出了改变庸众的劣根性是极为艰难而漫长的过程。彻底改变这些庸众的劣根性的希望，是“微茫的”。这在《故乡》中也有类似的表述：“我想到希望，忽然害怕起来了。闰土要香炉和烛台的时候，我还暗地里笑他，以为他总是崇拜偶像，什么时候都不忘却。现在我所谓希望，不也是我自己手制的偶像么？只是他的愿望切近，我的愿望茫远罢了。”闰土崇拜的“偶像”是虚无缥缈的，而小说的叙述者“我”的愿望与闰土的愿望相比更茫远，这是小说中“我”的认识，其实也是作者鲁迅的认识。但是，以刘和珍为代表的中国女子的“干练坚决，百折不回的气概”与“勇毅”至少让作者在这不知何时是尽头的“非人的世界”中看到了希望，哪怕这希望是“微茫的”。

从真正的猛士的角度，他也看到了民族的希望，“真的猛士，将更奋然而前行”。这句话收束了第五条支线，指出刘和珍等人的牺牲激励着在寂寞里奔驰的真正的猛士。

这五条支线最后收束于“呜呼，我说不出话，但以此记念刘和珍君”，此处的“呜呼，我说不出话”是强烈的悲痛而引起的哽咽，全文的情感由此达到了高潮。

一转再转

这篇散文写了一段礼堂外的对话，写了两段往事，每段往事又包含四五个材料。全文涉及十几个人（或群体）：刘和珍、杨德群、程君、段政府（包括卫队）、流言家、真正的猛士、庸众（包括闲人）、杨荫榆、刘百昭、往日的教员、张静淑等，这些人（除了已故者）也是这篇散文预设的阅读对象。这篇散文要叙述往事，又要探讨意义，行文从具体到抽象，从抽象又回具体，在“语言梯子”上升降多次。写作内容繁多，表达方式反复转换，但是章法谨严。在全文各节中，作者多用转折复句连缀若干材料或若干议论，呈现局部文本的意义推进与情感起伏。而贯穿全文的是若干关于“有写一点东西的必要”与“无话可说”的转折复句。

虽然我也早觉得有写一点东西的必要了，可是我实在无话可说。

虽然我实在无话可说，但是我也早觉得有写一点东西的必要了。

虽然我也早觉得有写一点东西的必要了，但是惨象，已使我目不忍视了；流言，尤使我耳不忍闻。我还有什么话可说呢？

虽然惨象，已使我目不忍视了；流言，尤使我耳不忍闻。我还有什么话可说呢？但是，我还有要说的话。

呜呼，我说不出话，但以此记念刘和珍君！

这些句子连缀起写作缘起、往事及往事的意义，在结构上起到承上启下的过渡作用。作者借助曲折跌宕的行文结构，表现整个文本的意义推进与情感起伏。最终通过第七节的议论收束五条支线，阐明了此文的写作意图。为什么要纪念刘和珍君？一是要批判段政府的凶残，二是要揭露流言家的下劣，三是感叹刘和珍等人的干练坚决、百折不回的气概和勇毅，四是看到微茫的希望，五是为在寂寞里奔驰的真正的猛士呐喊。曲折跌宕，悲愤交加；痛定之后，长歌当哭。

有逻辑的想象　探秘式的阅读
——解读《一名物理学家的教育历程》

理论的真理在你的心智中，不在你的眼睛里。

——爱因斯坦

加来道雄在《一名物理学家的教育历程》中写了童年的两件趣事与高中时的一次制作仪器的经历。全文的中心句是“童年的两件趣事极大地丰富了我对世界的理解，并且引导我走上成为一个理论物理学家的历程”。解读这篇文章的核心问题是：童年的两件趣事使“我”对世界有了哪些新的理解，又是如何引导“我”成为一名理论物理学家的？解决这个核心问题的下位问题具体如下：

1. 在第一件童年趣事中，作者叙述了哪些遐想？作者是如何推理的，结论是什么？作者用怎样的语言形式描述鲤鱼“科学家”，为什么采用这样的语言形式？这些遐想之间是什么关系？这些遐想与“我”对世界的认知是什么关系？童年的第一件趣事使“我”对世界有了哪些新的理解，又是如何引导“我”成为一名理论物理学家的？

2. 在第二件童年趣事中，作者叙述了怎样的阅读历程？这段阅读历程使“我”对世界有了哪些新的理解，又是如何引导“我”成为一名理论物理学家的？

3. 在高中制作仪器时，作者的目标是什么？作者做了哪些努力，结果如何？为什么要写母亲的摇头？两件童年趣事与高中时的经历是什么关系？这三段往事及其关系是如何引导“我”成为一名理论物理学家的？

作者叙述第一件童年趣事时，写了四处遐想：一是鲤鱼生活的世界、鲤鱼的认知方式及世界观（第四段）；二是鲤鱼对平行世界的看法（第五段）；三是鲤鱼对睡莲不被触摸而运动的解释（第六、七段）；四是鲤鱼对更高维数世界的认识（第八、九段）。作者写每一处遐想都有推理、结论。

作者在第一处遐想中描述了鲤鱼的生存环境、具身性认知（依赖于身体体验的认知）的特征，用一组因果复句推导出鲤鱼的世界观，再用一组转折复句呈现了鲤鱼的世界与人类世界的隔阂，具体表述如下：

鲤鱼们的一生就在这浅浅的水池中度过。它们相信它们的“宇宙”就由阴暗的池水和睡莲构成。它们大部分时间在池底漫游，因此它们只模糊地意识到在水面之上存在有另一个外部世界。

我喜欢坐在距离鲤鱼仅仅几十厘米的地方，然而，我们之间却如距深渊。鲤鱼和我生活在两个截然不同的宇宙之中，从不进入对方的世界，我们之间被水面这一薄薄的“栅栏”分隔开来。

作者借助这两组复句呈现了鲤鱼生存环境的局限性与具身性认知的局限性（人类世界的本质超过了鲤鱼的理解能力），以这两种局限性为前提借助因果关系推导出鲤鱼的世界观——“宇宙”就由阴暗的池水和睡莲构成。这个世界观也是有很大局限的。

作者在第二处遐想中假设了一种角色——一些鲤鱼“科学家”，并假设它们会思考。作者以前文所提及的鲤鱼的世界观为预设前提推导出鲤鱼“科学家”断然否认平行世界的存在，可以表述为如下一组因果复句：

因为鲤鱼“科学家”认为，唯一真实存在的事物就是鱼儿们看得见摸得着的，水池就是一切，水池之外看不见的世界没有科学意义，所以这些鲤鱼“科学家”会对那些提出在水池之外还存在有另外一个平行世界的鱼冷嘲热讽。

作者在第三处遐想中描述了自己在人类世界中观察到的两个现象，一是“成千上万的小雨滴轰击池水的表面。池水变得混乱”，二是睡莲在摇动，作者立足于人类的具身性认知给出的解释是“水中的睡莲在汹涌不息的水波冲刷下摇摆不定”。作者又假想了鲤鱼的具身性认知——鲤鱼们“看不见它们赖以生存的水”，基于这种具身性认知，作者用一个因果复句推导出自己所见的现象在鲤鱼眼中的情形——“睡莲似乎是自己在运动”。作者再基于鲤鱼有局限的世界观与具身性认知，用一组因果复句推导出鲤鱼“科学家”们的解释——“睡莲之所以能够不被触摸而运动，是因为有一种看不见的神秘力在对它起作用”。作者针对同一现象呈现了两个不同维数的世界中的感知与解释，通过两个不同维数世界中的感知与解释的对比，凸显了生活在更低维数世界的一部分生命体会通过杜撰一些错误的学说来解释自然现象，以掩盖自己的无知，可以表述为如下一组因果复句：

因为就像我们看不见我们周围的空气和空间一样，鲤鱼们也看不见它们赖以生存的水，所以在它们看来，睡莲似乎是自己在运动，没有任何东西冲刷它们。

因为不能理解在看不见的水面上存在的水波，所以它们将得出这样一个结论：睡莲之所以能够不被触摸而运动，是因为有一种看不见的神秘力在对它起作用。

作者在第四处遐想中开展了一次思想实验。这个思想实验针对的问题是：鲤鱼们是否承认更高维数的世界存在？这个思想实验的目的是推断鲤鱼们对更高维数世界的认知。作者在这个思想实验中假设了两个场景：一是将一个鲤鱼“科学家”捞出水池，再放回水池；二是这个鲤鱼“科学家”向同伴讲述人类世界的奇异情形。作者通过这两个假设的场景分别考察鲤鱼们如何看待这个鲤鱼

"科学家"失踪又回归的事件以及如何看待这个鲤鱼"科学家"对人类世界的叙述。基于鲤鱼们有局限的世界观，作者推导出的结论是鲤鱼们认为失踪又回归的事件是奇迹，鲤鱼"科学家"的叙述是胡说八道，它们根本不承认更高维数世界的存在。作者借助这个思想实验说明生活在更低维数世界的一部分生命体由于受到环境、具身性认知及世界观的局限鄙视关于更高维数世界的说法，可以表述为如下一组因果复句：

因为鲤鱼"科学家"认为，唯一真实存在的事物就是鱼儿们看得见摸得着的，水池就是一切，水池之外看不见的世界没有科学意义，所以它们认为一个鲤鱼"科学家"的失踪又回归是奇迹，是可怖的事件，所以它们觉得这个鲤鱼"科学家"关于人类世界的叙述是胡说八道。

作者用大量反讽的语言叙述这些鲤鱼"科学家"（有时还波及大多数鲤鱼）的表现，比如"这些鲤鱼'科学家'会对那些提出在水池之外还存在有另外一个平行世界的鱼冷嘲热讽"，"鲤鱼'科学家'们将会聪明地杜撰某种虚构的东西——它被称为'力'，来掩盖自己的无知"，"它们可能给这种错觉起一个高深莫测的名称（比如'超距作用'，或'没有任何接触下睡莲即会运动的能力'）"，"当然，这个到宇宙之外一游的故事对于鲤鱼是怪诞的，大多数鱼都认为这完全是胡说八道"。作者借助这样的语言形式表现了对鲤鱼"科学家"的无知、自以为聪明、故弄玄虚的嘲讽。

这四处遐想之间又有一定的逻辑关联，第一处揭示了鲤鱼有局限的世界观——"'宇宙'就由阴暗的池水和睡莲构成"，而这个有局限的世界观也正是后文所有推理的预设前提。因此，这四处遐想可以构成如下一组因果复句：

因为鲤鱼认为"宇宙"就由阴暗的池水和睡莲构成，唯一真实存在的事物就是鱼儿们看得见摸得着的，水池就是一切，水池之外看不见的世界没有科学意义，所以这些鲤鱼"科学家"会对那些提出在水池之外还存在有另外一个平行世界的鱼冷嘲热讽，所以它们认为睡莲之所以能够不被触摸而运动，是因为有一种看不见的神秘力在对它起作用，所以它们认为一个鲤鱼“科学家”的失踪又回归是奇迹，是可怖的事件，所以它们觉得这个鲤鱼“科学家”关于人类世界的叙述是胡说八道。

这些结论分别呈现了生活在更低维数世界的一些生命体否认平行世界的存在、杜撰错误的学说解释自然现象、面对实证依然否认更高维数世界的存在。这些结论之间又构成一定的推进性，表现了这些生命体所犯的谬误一个比一个大，其思想观念冥顽不化。

这四处遐想又与作者对世界的认知构成了类比关系。第一处遐想使作者类推出“我们就像自鸣得意地在池中游动的鲤鱼。我们的一生就在我们自己的‘池子’里度过，以为我们宇宙只包含那些看得见摸得着的事物……我们认为宇宙之中只包含有熟悉可见的东西”。第二处遐想令作者类推出“我们自以为是地拒绝承认就在我们的宇宙跟前存在有别的平行宇宙或多维空间，而这些都超出了我们的理解力”。第三处遐想让作者类推出“如果我们的科学家发明像力这样一些概念，那仅仅是因为他们不能用眼检验出充满于我们周围空间的不可看见的各种振动”。第四处遐想促作者类推出“一些科学家鄙视更高维数世界的说法，是因为他们不能在实验室里便利地验证它”。这些类推的结论丰富了作者对世界的理解，他意识到可能存在平行世界（或多维世界），对自然现象的有些解释可能因世界观的局限而产生错误，可能存在更高维数的世界——“我们宇宙或许是无数个平行宇宙中的一个。每一个宇宙通过无穷多的蛀洞（连通两个时空域的‘隧道’）跟其他宇宙相连。在这些蛀洞之中旅行是可能的，但可能性又微乎其微”。这件童年趣事促使作者“一直对存在高维世界的可能极感兴趣”，阅读了大量这方面的书。而这些遐想增添了童年这一观鱼事件的趣味性。这些遐想中充满了因果推理、类比推理，是有逻辑的想象，是一种思想实验。而这种有逻辑的想象能力、开展思想实验的能力又是成为一名理论物理学家必要的潜质。因此，对更高维数世界的兴趣和有逻辑的想象能力是令作者日后成为理论物理学家的重要机缘。

作者叙述童年的第二件趣事，主要讲述了自己阅读爱因斯坦的理论书籍，先是在当地图书馆阅读关于这个伟人和他的理论的每一本书，再是在全市搜寻图书馆和书店，进一步阅读这位伟人的书。而这段阅读经历缘起于八岁时听老师讲的故事——“他未能完成自己的伟大发现就撒手人寰。他们说他多年潜心于这个理论，他死之后，他尚未完成的论文仍然摆放在自己的办公桌上”。作者好奇于爱因斯坦痴迷的理论研究的内容，通过探秘式的阅读最终知道爱因斯坦未完成的理论学说——“他试图构造的所谓的统一场论。这个理论能解释所有的自然规律，从细小的原子到浩瀚的星系”。这令作者又一次丰富了对世界的理解。这一研究兴趣也是令作者日后成为理论物理学家的重要机缘。

第一件童年趣事引发了作者的第一个研究兴趣——发现更高维数的世界，第二件童年趣事引发了作者的第二个研究兴趣——探索统一场论。作者产生这两个研究兴趣后，提出了两个不能理解的内容，一是“畅游在茶园池中的鲤鱼和爱因斯坦桌上未完成的论文可能存在着某种联系”，二是“更高的维数可能是解决统一场论的关键”，这两个不能理解的内容是同一回事，前者与后者之间的关系是具体与抽象的关系。作者借助这两个不能理解的内容建立了童年的两个事件所引发的研究兴趣之间的关联，而对于这种关联的困惑与好奇也是令作者日后成为理论物理学家的重要机缘。

作者写高中时制作仪器的经历，先交代了自己的目标——建立自己的原子对撞机，介绍了四个努力的步骤——购买钠 -22、建造云室、在自己的车间里建造电子感应加速器、在学校足球场上缠绕线路，还交代了电子感应加速器的能量消耗情况及成功的结果。联系作者当时的年龄、条件，这件事的成果是奇迹。写母亲的摇头正是为了衬托作者的反常。而这些反常表现出年轻时的作者敢于突破世俗的约束、勇往直前的品质。这种品质也是作者日后成为理论物理学家的重要基础。

童年的两件趣事与高中时制作仪器的经历之间又构成了因果关系，这种因果关系所展现的事件序列充分呈现了作者成为理论物理学家的缘由，很好地诠释了一名物理学家的教育历程。

报告文学

双线交错　震动灵魂

——解读《包身工》

塞缪尔·早川在《语言学的邀请》一书中提出了关于语言的一把“抽象的阶梯”(可简称为“语言梯子”)，阶梯从概念的具体层面上升到抽象层面。[①]他设定有一头母牛“阿花”站在我们面前。“阿花”这个词是语言抽象阶梯上的最低一层；母牛、家畜、农庄财产、资产、财富，这些词在语言抽象阶梯上依次往上排列。

“阿花”是我们经验到的对象，处于语言抽象阶梯的最底层；“母牛”这个词代表从所有母牛中抽象出来的共同特征，比“阿花”的抽象程度高一个层级，但是阿花的许多特征都略去不谈了；“家畜”这个词只抽象出阿花与猪、羊等之

① （美）塞缪尔·早川、艾伦·早川著《语言学的邀请》，柳之元译，北京大学出版社 2015 年版，第 157—160 页。

间的相同点，抽象程度再上一层，阿花的很多特点又被略去了；“农庄财产”只顾阿花与农庄其他可售对象的相同点，在语言抽象阶梯上的阶层就更高了；用“资产”指称阿花，阿花又有很多特性被略去了；“财富”处于语言抽象阶梯的最高层，阿花的特性几乎完全不提了。这把“语言梯子”实则表现了经验抽象化的过程，其他言语之间抽象程度的比较，也可以用这把“语言梯子”来衡量。

报告文学的作者往往需要考虑以何种“距离”去叙述新闻事件。“距离”的远近对应“语言梯子”上的抽象程度的高低。近距离时，写作方式是“场景叙述”；远距离时，写作方式是“报道”。

“场景叙述”处于“语言梯子”的低层，它往往通过动作线推动叙事向前发展，勾勒出报告文学的叙事框架，它的写作内容是具体的，在一个特定的时间与地点上展开。“场景叙述”多运用对白，以场景组织材料，叙述过程，再现经历，表达方式以叙述、描写为主，偏重展示、描述，作者往往是将读者带入现场，让读者看到、听到、闻到，引导读者进行体验、感受。

“报道”处于“语言梯子”的高层，写作内容是抽象的，在时间与空间上延伸。“报道”常运用引文，以话题组织材料，陈述结果，传达信息，表达方式以说明、议论为主，偏重讲述、告知。“报道”是远距离的讲述，会牺牲细节、牺牲具体意象，但是这些牺牲是有价值的，因为作者往往带领读者在攀爬“语言梯子”的时候让读者得到更具广泛适用性的知识。

“场景叙述”与“报道”是报告文学的两个内容要素。《包身工》也是由“场景叙述”与“报道”构成的，两个部分交替呈现，双线交错前行：

场景叙述1：四点一刻，一群“懒虫”“猪猡”起床。（第1至6段）
——一个男子呼喊“拆铺，起来”。
——楼下十六七个“猪猡”起身、穿衣。
——这个男子呼喊楼上的“懒虫”起身。
——楼上十几个“懒虫”起身、穿衣、下楼洗脸。
——芦柴棒着急地要将大锅里的稀饭烧滚，被倒冒出来的青烟引得咳嗽。

报道 1：“懒虫”“猪猡”的生活区域、称谓、来源、隶属关系及功能。（第 7 至 11 段）

——这群“懒虫”“猪猡”的工房区域是严密封锁的，人均面积狭小。

——这群“懒虫”“猪猡”的正式名称是“包身工”。

——包身工来自“带工老板”的家乡或灾荒区域，这些女孩子是被“带工老板”以“优厚的待遇”骗来的。

——包身工的身体隶属于“带工老板”，是他们赚钱的“机器”。

场景叙述 2：四点半，在杨树浦福临路东洋纱厂工房里，包身工洗漱、喝粥。（第 12 至 14 段）

——包身工洗漱。

——包身工喝粥。

——有的包身工因打杂常轮不到盛第一碗粥。

报道 2：包身工制度产生的背景及原因。（第 15 至 16 段前半部分）

——包身工制度产生的背景是：经历顾正红事件后东洋厂需要用包身工（特殊的廉价而没有“结合力”的“机器”）代替“外头工人”（普通的自由劳动者）。

——第一，包身工的身体属于“带工老板”，没有“做”或“不做”的自由，“带工老板”常用拳头、棍棒或冷水来强制她们劳动。

场景叙述 3：闪回到过去，芦柴棒害了急性重伤风，卧病在地，遭到毒打与冷水的浇泼。（第 16 段后半部分至 20 段）

报道 3：包身工制度产生的另外两个原因。（第 21 至 22 段）

——第二，包身工与外界隔绝，厂家将她们的管理权交给了“带工老板”。

——第三，包身工又被厂方叫作“试验工”或“养成工”，她们工价低廉，工作繁重。

场景叙述 4：五点，包身工走出工房进厂劳动。（第 23 至 24 段）

——包身工的着装、鞋子、发型与“外头工人”不一样。

——包身工与“外头工人”言语不通，见识不同，比“外头工人”更少自由与权利。

——包身工进厂只交一本打印子的簿子，“外头工人”还多一张贴着照片的入厂凭证。

报道 4：包身工的劳动环境。（第 25 至 27 段）

——纱厂工人终日面临音响、尘埃、湿气三大威胁。

——包身工是“拿莫温”和“小荡管”发脾气和使威风的对象。

场景叙述 5：闪回到过去，上班时，小福子因整理好的烂纱没有装起来而遭毒打、罚站。（第 28 至 31 段）

报道 5：包身工受到的种种惩罚，她们没有贿赂工头的可能，她们给厂方带来巨额利润，包身工的存活率极低。（第 32 至 35 段前半部分）

——包身工完不成劳动任务，就会遭“带工老板”毒打、饿饭、吊起、关黑房间。

——包身工羡慕“外头工人”贿赂工头的权利。

——包身工的廉价劳动给东洋厂带来巨额利润。

——包身工的包身契上写明了三年，能做满的不到三分之二。

场景叙述 6：散工后，芦柴棒瘦得太可怕，依然逃脱不了“带工老板”的魔掌；晚上，一个记不起名字的包身工因试图摆脱这种命运而被毒打。（第 35 段后半部分至 47 段）

报道 6：作者警告这些资本家、“带工老板”当心呻吟着的那些锭子上的冤魂。（第 48 至 50 段）

——将“饲养小姑娘营利的制度”与“船户养墨鸭捕鱼”类比，强调人不如墨鸭。

——包身工制度是20世纪的奴隶制度。

——作者向资本家、“带工老板”发出警告。

《包身工》这篇报告文学谈的是用工制度，用工制度属于经济领域的专业性话题。很多专业性话题不一定吸引读者，更不太容易引起读者“灵魂的震动”。《包身工》是如何产生极大的吸引力，又是如何使读者的灵魂产生震动的呢？

首先，《包身工》的“场景叙述”中的结构、细节、人物对读者产生了吸引力与冲击力。

故事的叙事结构涉及的内容要素有时间、地点、人物（最好是一个能主宰自己命运的主人公）、事件，事件中有开端、动作上升（包括矛盾冲突或困境，主人公的种种努力或抗争）、高潮、结局。叙事结构往往是一条完整的叙事弧线，随着时间、空间的推移，事件从开端到动作上升，到高潮，到结局。这个叙事结构往往能为读者提供有价值的人生经验、教训。不少报告文学往往是写生活中的一些片段，往往是围绕一群人展开的，而非仅仅写一个主人公的完整的故事。这类报告文学是通过“场景叙述”来呈现一些生活片段，呈现一群人的表现，将这些“场景叙述”连缀在一起的主线也往往只是一条平滑的叙事线。

《包身工》也是写生活中的一些片段，也是围绕一群人展开的，但是它的叙事结构相对紧凑、有推进性。作者设定的时间、空间、人物、主题相对集中。他将六个“场景叙述”设定在“一天”中，从早上四点一刻到四点半，到五点，到上班时，到散工时，再到晚上。当然，作者所设定的“一天”并不是“具体的某一天”，而是“具有典型性的一天”，因为，六个“场景叙述”中的事件是包身工这个群体每天大概率会重复出现的，是体现包身工生活中某些具有普遍意义的遭遇。作者又将这六个“场景叙述”设定在两个主要空间，一是工房，二是车间，前者是生活区域，后者是劳动场所。人物也相对集中。作者主要刻画了三个人物——芦柴棒、小福子、一个记不起名字的女孩，这三个人的命运完全可以视作一个人的命运，也可以视作一个群体的命运，因为文中多处强调她们的典型性，“其实，这样的情况每个包身工都会遭遇到”（第16段），“打死不干事，在这种情形之下，包身工当然是‘人人得而欺之’了”（第28段），“工作，工作，衰弱到不能走路还是工作，手脚像芦柴棒一般地瘦，身体像弓一样地弯，面色像死人一样地惨”（第35段），“屏着气，睁着眼，百千个奴隶在黑夜中叹息她们的命运”（第47段）。作者以“苦难的命运”这个主题连缀这六个“场景叙述”，加之相对集中的时间、空间、人物，构建了一个相对紧凑的叙事结构。虽然这些被动的受害者的表现只是提供了一条平滑的叙事线，但是她们遭遇的种种困难之间构成了一定的推进性，从生活待遇的恶劣到繁重的劳动，到身心所受的折磨与摧残，到死亡的威胁，再到绝望的煎熬，构成了一条上升的叙事线，而伴随着这些苦难的描述，呈现的是包身工的生存几率不断减小，从疲惫，到饥饿，到疾病，到枯瘦，直至“包身契上写明的三年期限，能够做满的不到三分之二”，这构成了一条下行的叙事线：这两条叙事线形成了反比关系，形成了相互悖反的两个推进性的结构。相对紧凑且具有推进性的叙事结构勾勒出包身工这个群体的苦难命运走向，扣人心弦，令人泪目。

作者在“场景叙述”中用“摄像式视角”描述细节，即作为观察者的叙述者处于故事之外，像是一部摄像机，看似客观地观察和记录人物的言行。通过“摄像式视角”描述的包身工的很多生活细节和劳动细节，勾勒出这个群体在衣食住行上所承受的非人待遇，展现了这个群体所遭受的压迫与剥削。作者还用“摄像式视角”记录了一群压迫者、剥削者、帮凶的言行，毒打、谩骂、欺骗、谄媚、欺凌……彰显出这个群体的兽性、刻毒。作者通过典型的细节刻画了一个个鲜活的人物，一边是“芦柴棒”“小福子”“一个记不得名字的女孩”，另一边是“带工老板”“老板娘”“打杂的”“拿莫温”“小荡管”“东洋婆”“抄身婆”。前一个群体的遭遇激起读者的恻隐之心，后一个群体的行径令人义愤填膺，两者之间构成的强烈对比又不断地冲破读者的生活常识与道德认知，一次又一次地撞击着每个读者的心灵。

其次，鞭辟入里的“报道”，让读者对“场景叙述”中的话题获得了深刻的洞见。

《包身工》的“报道”共有六次，处于语言抽象阶梯的高层次，第一至五次

“报道”可以通过“文体转换”变为一篇题为“包身工制度”的说明文。具体如下：

包身工来自“带工老板”的家乡或灾荒区域，这些女孩子是被“带工老板”以“优厚的待遇”骗来的。“包身契”上写着包身费大洋二十元，期限三年，三年之内，由带工的供给住食，介绍工作，赚钱归带工者收用，生死疾病一听天命，先付包洋十元，人银两交。

包身工的身体隶属于“带工老板”，是顺从地替“带工老板”赚钱的“机器”。每个“带工老板”所带包身工的人数表示了他们的排场和财产。少一点的“带工老板”带三十五十，多一点的带着一百五十个以上。阔气一些的“带工老板”，不仅可以放债、买田、起屋，还能兼营茶楼、浴室、理发铺一类的买卖。

包身工被囚禁在工房区域里，工房区域是严密封锁的。她们的人均居住面积极小，睡在地上，睡眠时间很少，每天的食物是两粥一饭，衣着破烂。

包身工制度产生的背景是经历顾正红事件后东洋厂需要用包身工（特殊的廉价而没有“结合力”的“机器”）代替“外头工人”（普通的自由劳动者）。原因有三：第一，包身工的身体属于“带工老板”，没有“做”或“不做”的自由，“带工老板”常用拳头、棍棒或冷水来强制她们劳动。第二，包身工与外界隔绝，她们的管理权交给了“带工老板”。第三，包身工又被厂方叫作“试验工”或“养成工”，她们工价低廉，工作却繁重。

包身工终日面临音响、尘埃、湿气三大威胁；她们还是“拿莫温”和“小荡管”发脾气和使威风的对象。包身工完不成劳动任务，就会遭“带工老板”毒打、饿饭、吊起、关黑房间。

包身工的廉价劳动给东洋厂带来巨额利润。

包身工的包身契上写明了三年，能做满的不到三分之二。

这篇说明文展现了作者报道的内容与思路。其中涉及包身工制度的方方面面：包身工的称谓、来源、隶属关系、人身自由的权利、作用、生活条件，“带工老板”的权力、管理手段、剥削方式、成本支出，包身工制度的产生背景及原因，包身工的劳动环境、劳动强度、工价、创造的利润、生存几率。作者先说明包身工的称谓、来源及这种制度的内容，再从社会背景角度分析这种用工制度产生的原因，进而阐释这种制度造成的罪恶的结果。“报道”部分的行文思路是从现象的阐释到归因分析，从深层的制度分析再推导出相应的结果，层层推进，逻辑清晰，由表及里，切中要害。这样鞭辟入里的“报道”让读者透过现象洞察到背后的深层原因，看清制度的问题、资本逻辑的罪恶、社会治理的缺失，看清帝国主义资本家的幕后黑手，更是看清人性中极为丑恶、卑劣的一面。这是这篇报告文学真正吸引读者的关键所在，也是真正震动读者灵魂的关键所在。

第六次“报道”（第48至50段）从三个层面抨击了包身工制度。作者在第48段中将“这种饲养小姑娘营利的制度”与“船户养墨鸭捕鱼”类比，不但指出了“带工老板”与“船户”营利的相似处，更是指出了两者对待营利“工具”的差异——包身工还要受到非人的虐待，其处境还不如墨鸭。作者通过类比揭露包身工制度的非人道性。作者在第49段中写了一组“没有”与一组“有”。一组“没有”是“在这千万被饲养者中间，没有光，没有热，没有温情，没有希望……没有法律，没有人道”，在20世纪里，一个合理的制度应该有光，有热，有温情，有希望，有法律，有人道，但是包身工制度没有；一组“有”是“这儿有的是20世纪的烂熟了的技术、机械、体制和对这种体制忠实服役的16世纪封建制度下的奴隶”，在20世纪里，应该没有16世纪封建制度下的奴隶，包身工制度中却有。作者写了两组应然与实然的反差，再将这两组反差组合在一起构成一组更大的反差，以此揭示了包身工制度是违背历史发展潮流的，是反动的制度。作者在第50段中写到了黑暗无法抗拒“黎明的到来”，以此隐喻包身工制度必将覆灭，并向资本家、“带工老板”发出警告，以震慑这些吃人的恶魔。罪恶的制度，反动的制度，必将灭亡的制度，这三层意思，逐层深入，作者从横向的比较中揭示制度本身的罪恶，从纵向的历史发展中揭示这种制度的反动趋势，最终合乎逻辑地推导出这种制度的必然结局。这些精辟的论述振聋发聩，撼动人心。

第一至五次“报道”多是以第三人称全知视角陈述；第五次“报道”的

最后一句转换为第一人称视角陈述——“我也这样联想，东洋厂的每一个锭子上面都附托着一个中国奴隶的冤魂”，第六次“报道”全部用第一人称视角陈述——“我禁不住想起……”“我也想警告某一些人”。第一至五次“报道”以说明为主；第六次“报道”以议论、抒情为主。第一至五次“报道”多用句号，以陈述句为主，偶有感叹句；第六次“报道”每段的结尾都是感叹句。视角的转换、表达方式的转换、句式的转换，意味着行文思路的转换。随着这些语言形式的转换，作者表达的情感越来越强烈，这篇报告文学的价值导向也越来越鲜明，使读者在情感与认知上受到的共振也越来越强烈。

再者，“场景叙述”与“报道”之间交错推进的结构吸引了读者，触动了读者的心灵。

报告文学的两个内容要素“场景叙述”与“报道”之间常常以交错推进的结构排布，每次“场景叙述”的篇幅与紧接着的“报道”的篇幅接近，这样的布局有些像“多层蛋糕”。具体如下：

题目

场景叙述 1

报道 1

场景叙述 2

报道 2

场景叙述 3

报道 3

场景叙述 4

报道 4

场景叙述 5

报道 5

场景叙述 6

报道 6

报告文学的核心目标是“报道”，在“语言梯子”的抽象层面讲述专业性的话题，而“场景叙述”的存在有助于读者具象化地理解抽象的专业性的话题内容。一沙一世界，一花一天堂，一滴水也能折射出太阳的光辉，“场景叙述”中的一个人物、一个事件、一个细节，往往都有助于读者见微知著，促进读者更有效地理解“报道”部分的专业性内容。各“场景叙述”之间形成一条叙事线，这条叙事线勾画出整篇报告文学的叙事走向，推动叙事在时间和空间上向前发展，不断出现新的场景、新的人物、新的事件、新的戏剧性张力，这有助于作者在合适的位置报道与主题相关的不同方面的专业性话题，这也有助于吸引读者的阅读目光。而“报道”则是对正在向前发展的叙事线的打断，是将“场景叙述”中的人、事、物置于一个更大的背景下做更专业的解释，让读者获得更具普适性的认识。“场景叙述”与“报道”之间交错推进，相得益彰。

《包身工》也是采用这种双线交错的结构。“场景叙述”部分用芦柴棒们典型的一天经历，具象化地呈现包身工制度的罪恶；介绍芦柴棒们的衣食住行、劳动的细节，引出关于包身工制度的内容、背景、原因、结果的专业解释；用“带工老板”等人对芦柴棒们的虐待，创造出戏剧性的张力，吸引读者的阅读目光。“报道”部分则从一个个新的叙事话题入手带领读者攀爬“语言梯子”，在抽象层面获得关于包身工制度更为深刻的、理性的认知，在情感上受到更深层的触动。

“报道”毕竟是对正在向前发展的叙事线的打断，因此，报告文学的作者必须考虑“在哪个位置打断叙事”，这个位置既要有助于自然地引入“报道”，又要有助于保持读者的阅读兴趣。“场景叙述”与“报道”在结构上的衔接点是否合适，这个结构组织问题事关报告文学的吸引力与冲击力。《包身工》在每个“场景叙述”的末尾往往会叙述一个有戏剧性张力的事实：

十五六岁，除了老板之外，大概很少有人知道她的姓名。手脚瘦得像芦棒梗一样，于是大家就拿“芦柴棒”当作了她的名字。（场景叙述 1 的结尾部分）

“死懒！躺着死不起来，活该！”（场景叙述 2 的结尾部分）

这是冬天，外面在刮寒风，芦柴棒遭了这意外的一泼，反射似的跳起身来，于是在门口刷牙的老板娘笑了：

“瞧！还不是假病！病了会好好地爬起来？一盆冷水就医好了。”（场景叙述3的结尾部分）

于是，在沪西的丰田厂，有许多内外棉的工人冒险混进去，做了一次里应外合的英勇的工作，从这时候起，由丰田提议，工人入厂之前就需要这种有照片的凭证。（场景叙述4的结尾部分）

拿莫温学着同样生硬的调子说：

“这样她就打不成瞌睡了！”（场景叙述5的结尾部分）

这一晚，整屋子除了快要断气的呻吟一般的呼喊之外，再没有别的声音。屏着气，睁着眼，百千个奴隶在黑夜中叹息她们的命运。（场景叙述6的结尾部分）

这些事实引发了一系列问题：“她是谁？”“她为什么在这里？”“她又往哪里去？”“为什么会发生这些？”“为什么在这里发生？”“事情是如何发展到这种程度的？”“她做了什么？”“如果换成别人又会怎样？”……这些问题都成为作者引出“报道”内容的因由，也都给读者造成了阅读期待。而这些事实的戏剧性张力也牢牢吸引住了读者的阅读兴趣。“场景叙述”与“报道”在结构上的衔接点往往是一些有趣味的情节点、悬而未决的事件、有戏剧性张力的事实等，作者可以在此停顿，转换思路，开始“报道”，这个衔接点（或停顿点）的内容趣味性越强、悬疑越大、戏剧性张力越大，作者紧接着设定的“报道”篇幅就越长，反之则越短。《包身工》就很好地布设了这些衔接点（或停顿点），通篇保持必要的悬疑与适度的戏剧性张力，以此营造出有效的吸引力与冲击力。

优秀的报告文学总是在“场景叙述”与“报道”之间不断切换，既展示、描述，又讲述、告知，且衔接巧妙，好比不断地在“语言梯子”的阶梯上极为自如地上下跳动，从具体到抽象，从抽象又回到具体，循环往复。这种交错推进的结构往往能吸引读者，触动人心。《包身工》就做到了这些。

最后，运用多种写作策略扣动读者的心灵。

叙述故事所采用的写作策略大部分都可以用于报告文学。《包身工》使用的写作策略之一是包身工的称谓多用“隐喻”指称。开头部分用“生物”“懒虫”“猪猡”等隐喻指称包身工，用“蜂房”“鸽子笼”“墙圈”指称包身工的居住环境，这些构成了第一个隐喻系统。中间部分多用“机器”指称包身工，如“顺从地替带工赚钱的‘机器’”“这些廉价的、不需要更多维持费的‘机器’们”“这种特殊的廉价‘机器’”“血肉造成的‘机器’”，还用了一个特殊的隐喻“罐装了的劳动力”，这些构成了第二个隐喻系统。中间部分还多次称呼包身工为“奴隶”。结尾又用“被饲养者”“冤魂”的喻体指称包身工。开头用动物的隐喻系统指称包身工，将动物的属性投射在包身工这个群体上，形象地表现了包身工地位低贱，处在非人的生活境遇中——如牲畜一般被饲养，而且开头用这些喻体指称包身工，也制造出悬疑，引发读者的好奇心，为后文解释包身工制度做准备。中间部分用“机器”这个喻体指称包身工，形象地展现了包身工沦为工具的劳动境遇，揭示了这个群体被操控、被压榨、被盘剥的残酷现实；用“奴隶”指称包身工，强调包身工是失去人身自由并被他人任意驱使、为他人做事的人。结尾处用“这种饲养小姑娘营利的制度”“被饲养者”回应前面这些隐喻，再次强调包身工的地位、功用，用“东洋厂的每一个锭子上面都附托着一个中国奴隶的冤魂”“锭子上的冤魂”这些隐喻，表现了包身工的苦难命运及她们的冤屈。这些隐喻从多个角度揭示了包身工的地位、处境、命运，凝聚了作者强烈的愤慨之情，深深地感染着每一个读者。《包身工》一文还大量使用了沪语方言的称谓，比如“拿莫温”“小荡管”“东洋婆”“抄身婆”“请愿警”“红头鬼”，不仅营造了真实的地域生活氛围，还凝聚了强烈的感情色彩。《包身工》中还用了不少其他沪语方言词汇，比如“路脚”“手面”“生活”“地方上”，某种程度上也折射出一个群体的思想观念与感情倾向。

《包身工》使用的写作策略之二是多处使用反讽，比如“用他们多年熟练了的可以将一根稻草讲成金条的嘴巴"，"有几个'慈祥'的老板到小菜场去收集一些莴苣的菜叶，用盐一浸，这就是她们难得的佳肴"，"这是一种极合经济原理和经营原则的方法"，"一个有殖民地经验的'温情主义者'"，"她不喜欢这种不文明的殴打，也许是她要介绍一种更合理的惩戒方法"，"这种文明的惩罚"，"包身工却在羡慕这种可以自主地拿出钱来贿赂工头的权利"。作者用这些反讽揭露了包身工制度的罪恶，抨击了以资本家、"带工老板"为首的一群坏人的丑恶行径。

作者用不少数据呈现了包身工的工资制度、"带工老板"的收益、东洋厂的资本扩张情况。当然，用得最好的写作策略还是细节的刻画，"带工老板"的游说、谩骂、谄媚、威胁，老板娘"用她那双才在梳头的油手搅拌一下"，拿莫温的使威风……这些细节刻画入木三分地展现出各色人等的丑恶嘴脸。为了获得这些铁一般的事实，为了获得这些有启发意义的细节，作者夏衍冒着极大的危险深入实地采访和观察，正如他在《从〈包身工〉引起的回忆》中所说："到包身工工作的车间去观察了几次……我从3月初到5月，足足做了两个多月的'夜工'，才比较详细地观察到了一些她们的日常生活……她们的劳动强度，她们的劳动和生活条件，当时的工资制度，我都尽可能地做了实事求是的调查。"①

包身工悲惨的生活使作者感到"灵魂的震动"，而作者用巧妙的布局与传神的刻画写出了这篇优秀的报告文学，其文字的力量也使每个读者感到"灵魂的震动"。

① 程季华主编《夏衍电影文集》（第一卷），中国电影出版社2000年版，第823—824页。

议论文

逻辑严谨　感情诚挚
——解读《在马克思墓前的讲话》

《在马克思墓前的讲话》是一篇悼词。狭义的悼词是指在悼念活动上对逝者表示敬意与哀思的宣读式的文体，属于演讲词的一种。解读这类文本通常需要思考这些问题：作者是谁？听众（及隐含读者）是谁？悼词的语境是怎样的？悼词的内容有哪些？这些内容之间是怎样的关系？作者采用了哪些表达策略？作者借助这些语言想表达什么？

这篇悼词的作者恩格斯，是全世界无产阶级和劳动人民的伟大导师和领袖、马克思主义创始人之一，是马克思的挚友，是马克思的亲密战友。他是最深入地认识逝者的思想及业绩的人。这篇悼词的预设听众是逝者的亲友及景仰者，隐含读者可以是当时在欧美战斗的千百万无产阶级革命战友（文中写到“现在他逝世了，在整个欧洲和美洲，从西伯利亚矿井到加利福尼亚，千百万革命战友无不对他表示尊敬、爱戴和悼念”），也可以是后世希望了解马克思的每一个读者。这篇悼词的宣讲场所是在马克思墓前，其语境是悼念这位伟人的逝世，其历史背景应是现代无产阶级的解放事业正开展得如火如荼之时。作者是在这样特定的语境及历史背景下，以特定的身份向在马克思墓前的每一位听众及更多的隐含读者宣讲了这篇悼词。

这篇悼词各部分的内容要点如下。

第一段，交代了马克思的身份及逝世的时间。

第二段，指出对于欧美战斗的无产阶级，对于历史科学，马克思的逝世都是不可估量的损失。

第三至七段，介绍了马克思的丰功伟绩及革命事迹。第三至五段，指出马克思是科学家，阐释了马克思在科学领域做出的两个巨大贡献，一是发现了人类历史的发展规律，即“直接的物质的生活资料的生产，从而一个民族或一个时代的一定的经济发展阶段，便构成基础，人们的国家设施、法的观点、艺术以至宗教观念，就是从这个基础上发展起来的，因而，也必须由这个基础来解释”(第三段)，二是发现了“现代资本主义生产方式和它所产生的资产阶级社会的特殊的运动规律”(第四段)，第五段还揭示了马克思在很多领域都有深入的研究与独到的发现。第六段是过渡，揭示了马克思对科学与革命关系的认识。第七段，指出马克思是革命家，历数了马克思投身于现代无产阶级的解放事业的主要经历，指出了他的革命业绩——创立了伟大的国际工人协会，传播无产阶级革命理论，唤醒千百万无产阶级的革命觉悟。

第八段，揭示了两类人对马克思的态度。一类人是统治者（各国政府、资产者），他们嫉恨、诬蔑马克思；一类人是千百万无产阶级革命战友，他们无不对他表示尊敬、爱戴和悼念。

第九段，宣告马克思的英名和事业将永垂不朽。

这九个段落之间是怎样的逻辑关系呢？

第二段写道：“这个人的逝世，对于欧美战斗的无产阶级，对于历史科学，都是不可估量的损失。”“不可估量的损失”意指马克思生前的丰功伟绩，如果他的生命还在延续，那么他还能做出更多的伟大的贡献，此处是借马克思逝世后“不可估量的损失”，反衬出他生前的丰功伟绩。而这丰功伟绩又分两个方面，“对于欧美战斗的无产阶级”是指马克思在革命事业上的贡献，统领第六、七段。“对于历史科学”是指马克思在科学领域的贡献，统领第三至五段。“这位巨人逝世以后所形成的空白，不久就会使人感觉到”，更是指出了马克思的贡献影响深远。因此，第二段是第三至七段的总领。

第三至七段，用了大量的复句，出现了三个“这样”。因为关联词表明了句与句之间的逻辑关系，又因为代词“这样”是有形回指，是语篇衔接的重要手段，在篇章语言学中是用以梳理内容之间关系的路标，所以可以捕捉关联词及代词“这样”，以梳理内容之间的逻辑关系。

第四段开头写道：“不仅如此。马克思还发现了……”此处用“不仅……还……”意味着第三段与第四段之间是递进关系。这两段的关系可表述如下：

马克思不仅发现了人类历史的发展规律，还发现了现代资本主义生产方式和它所产生的资产阶级社会的特殊的运动规律。

第五段开头写道：“一生中能有这样两个发现……”此处的“这样”回指第三、四段的两个“发现”。第五段第三句用了一个“但是”，意味着第三、四段的两个“发现”，与第五段所说的马克思在其他很多领域的独特“发现”之间构成转折关系。第三至五段的关系可以表述如下：

马克思不仅发现了人类历史的发展规律，还发现了现代资本主义生产方式和它所产生的资产阶级社会的特殊的运动规律。虽然一生中能有这样两个发现，该是很够了，但是马克思在很多领域都有独到的发现。

第六段开头写道：“他作为科学家就是这样。”此处的“这样”回指第三、四段的两个重大“发现”及第五段的在其他领域的独到的发现。紧跟着一句“但是这在他身上远不是主要的”，即在马克思身上主要的业绩是在革命事业上取得的功绩。句首是一个“但是”，意味着第三至五段的内容（科学领域的业绩）与第六、七段的内容（革命领域的业绩）之间构成了转折关系。这两个领域的业绩实质上是递进关系，即马克思在科学领域贡献巨大，而他在革命事业上更是厥功至伟，可表述为“马克思不仅在科学领域贡献巨大，而且在革命事业上厥功至伟”。作者使用转折连词“但是”，意在制造认知冲突，引发读者思想感情的跌宕，即依读者通常的认知推断，能取得第三至五段所说的科学领域的业绩已是极为了不起的了，这完全可以作为马克思身上主要的成就，而作者的判断突破了这一通常的认知，指出马克思的主要业绩是在革命事业上，逆转读者的认知预期，使其在情感上产生跌宕。因此，第三至五段与第六、七段表面是转折，转折中隐含的则是递进。其逻辑关系可以表述如下：

马克思不仅发现了人类历史的发展规律，还发现了现代资本主义生产方式和它所产生的资产阶级社会的特殊的运动规律。虽然一生中能有这样两个发现，该是很够了，但是马克思在很多领域都有独到的发现。他作为科学家就是这样。但是这在他身上远不是主要的。

为什么“这在他身上远不是主要的”呢？因为，马克思对科学认识有其独特之处，他不是像一般科学家那样仅仅研究科学本身，而是将科学视作“是一种在历史上起推动作用的、革命的力量”，在他眼中科学是一种手段，是一种推动历史发展、推动革命前进的手段，完成革命、推动历史发展才是马克思研究科学的目的。这表现为“任何一门理论科学中的每一个新发现——它的实际应用也许还根本无法预见——都使马克思感到衷心喜悦，而当他看到那种对工业、对一般历史发展立即产生革命性影响的发现的时候，他的喜悦就非同寻常了”。

为什么完成革命、推动历史发展才是马克思研究科学的目的？因为马克思首先是一个革命者。

因此，第六、七段可以用两组因果复句连缀，以呈现这两个部分的逻辑关系，表述如下：

之所以这在他身上远不是主要的，是因为，在马克思看来，科学是一种在历史上起推动作用的、革命的力量，任何一门理论科学中的每一个新发现——它的实际应用也许还根本无法预见——都使马克思感到衷心喜悦，而当他看到那种对工业、对一般历史发展立即产生革命性影响的发现的时候，他的喜悦就非同寻常了。

之所以在马克思看来，科学是一种在历史上起推动作用的、革命的力量，任何一门理论科学中的每一个新发现——它的实际应用也许还根本无法预见——都使马克思感到衷心喜悦，而当他看到那种对工业、对一般历史发展立即产生革命性影响的发现的时候，他的喜悦就非同寻常了，是因为马克思首先是一个革命家。

第八段段首“正因为这样”，此处的有形回指“这样”是指马克思的丰功伟绩。它包含两层意思，第一层意思是马克思在科学领域的理论贡献（第三至五段），第二层意思是马克思在革命事业上的光辉业绩（第六、七段）。马克思的丰功伟绩与两类人（统治者、无产阶级战友）对马克思的态度构成了因果关系，可以表述如下：

正因为马克思在科学领域与革命事业上创造了丰功伟绩，所以马克思是当代最遭嫉恨和最受诬蔑的人。各国政府——无论专制政府或共和政府，都驱逐他；资产者——无论保守派或极端民主派，都竞相诽谤他，诅咒他。现在他逝世了，在整个欧洲和美洲，从西伯利亚矿井到加利福尼亚，千百万革命战友无不对他表示尊敬、爱戴和悼念。

两类人对待马克思的态度从正反两个方面衬托出马克思的丰功伟绩与巨大的影响力。

综上，这篇悼词的第三至八段可以改写为如下一组复句：

马克思不仅发现了人类历史的发展规律，还发现了现代资本主义生产方式和它所产生的资产阶级社会的特殊的运动规律。虽然一生中能有这样两个发现，该是很够了，但是马克思在很多领域都有独到的发现。

他作为科学家就是这样。但是这在他身上远不是主要的。是因为，在马克思看来，科学是一种在历史上起推动作用的、革命的力量，任何一门理论科学中的每一个新发现——它的实际应用也许还根本无法预见——都使马克思感到衷心喜悦，而当他看到那种对工业、对一般历史发展立即产生革命性影响的发现的时候，他的喜悦就非同寻常了。

之所以在马克思看来，科学是一种在历史上起推动作用的、革命的力量，任何一门理论科学中的每一个新发现——它的实际应用也许还根本无法预见——都使马克思感到衷心喜悦，而当他看到那种对工业、对一般历史发展立即产生革命性影响的发现的时候，他的喜悦就非同寻常了，是因为马克思首先是一个革命家。

正因为马克思在科学领域与革命事业上创造了丰功伟绩，所以马克思是当代最遭嫉恨和最受诬蔑的人。各国政府——无论专制政府或共和政府，都驱逐他；资产者——无论保守派或极端民主派，都竞相诽谤他，诅咒他。现在他逝世了，在整个欧洲和美洲，从西伯利亚矿井到加利福尼亚，千百万革命战友无不对他表示尊敬、爱戴和悼念。

第九段是全文的总结。

梳理这篇悼词的思路，全文大体可分为三个部分。第一、二段是第一部分，介绍背景，揭示马克思的丰功伟绩，统领第三至八段。第三至八段为第二部分，具体介绍马克思的丰功伟绩。这部分又可分为两个层次。第三至七段为第一层次，介绍了马克思在科学领域与革命事业两方面的贡献，第三至五段侧重于科学领域，第六、七段侧重于革命事业。第三至七段用了大量表示递进关系的关联词与转折关系的关联词，其实这些表示转折关系的关联词隐含的仍是递进关系，每转折一次，对马克思的业绩的评价就递进一个层次。第八段为第二层次，与第三至七段是因果关系，构成了又一次评价上的递进。因此，第三至八段的内容要点之间表面上是由递进、转折、因果关系构成的多重逻辑关系，实则其行文思路的主线是一个逐层推进的逻辑关系。第九段为第三部分，收束全文，将感情推向高潮。全文通过这样一条逐层推进的行文思路，呈现了马克思辉煌的业绩与巨大的影响。

依附这条逐层推进的行文思路，作者采用了哪些表达策略？

表达策略之一，是“用事实说话”。作者列举了大量的事实，证明马克思的丰功伟绩，如第三、四段列举的马克思的理论发现，第七段列举的马克思的参与革命斗争的经历。写其革命斗争的经历，列举了马克思主办或参与编辑的革命刊物，并附上了相应的工作时间（或时段）。每列举一个刊物，就暗示了一段革命斗争的经历。大部分时间（或时段）都很短，从一个刊物的编写工作转向另一个刊物的编写工作之间的时间间隔也很短。列举参与每个刊物编写的短暂时间（或时段），暗示了马克思的革命工作屡遭统治者的阻挠，马克思屡遭迫害（教材注释为证），与下文所说的“各国政府——无论专制政府或共和政府，都驱逐他；资产者——无论保守派或极端民主派，都竞相诽谤他，诅咒他”遥相呼应。列举工作转换的时间间隔，暗示了马克思不断地创造斗争的机会。将这些刊物的名称、参与编写的时间（或时段）、工作转换的时间间隔连缀在一起呈现给听众（及隐含读者），展现了马克思艰难前行的革命历程，以及马克思满腔热情、坚韧不拔和卓有成效的革命斗争。这些事实是凝聚着感情的事实，作者将它们连缀在一起，呈现了马克思坎坷但又光辉的一生，流露出作者对他的赞美与崇敬。

表达策略之二，是“借助比较，传递看法”。列举事实的同时，作者适时运用比较的方法，彰显这些事实的价值、意义，表达自己的看法与感情。作者在第三段表达的内容，主干部分是马克思发现了人类历史的发展规律，即“直接的物质的生活资料的生产，从而一个民族或一个时代的一定的经济发展阶段，便构成基础，人们的国家设施、法的观点、艺术以至宗教观念，就是从这个基础上发展起来的，因而，也必须由这个基础来解释”。作者在主干部分之外又添加了三处枝叶，分别是“正像达尔文发现有机界的发展规律一样”，“历来为繁芜丛杂的意识形态所掩盖着的一个简单事实：人们首先必须吃、喝、住、穿，然后才能从事政治、科学、艺术、宗教等等”，“而不是像过去那样做得相反”。第一处枝叶与主干部分构成类比关系，用类比的方式凸显马克思的发现与达尔文的发现一样具有划时代的意义。第二处枝叶与主干部分构成对比关系，“繁芜丛杂的意识形态”与马克思的发现构成对比，凸显马克思的研究是拨云见日、拨乱反正。第三处枝叶又与主干部分构成对比关系，凸显马克思的发现指出了人类历史研究的方向。作者在主干上附了三处枝叶，构建起一个复杂的句群，借助三处比较，凸显了马克思的发现所具有的巨大的价值和意义，表现了对马克思研究成果的激赏。类似的写法还有“这里就豁然开朗了，而先前无论资产阶级经济学家或者社会主义批评家所做的一切研究都只是在黑暗中摸索”。作者在第八段用了三处对比，将统治者对马克思的迫害与无产阶级对马克思的爱戴形成对比，将统治者对马克思的迫害与马克思的回应形成对比，将马克思“可能有过许多敌人”与“未必有一个私敌”对比，借助情势逆转的戏剧性及反讽的意味，彰显马克思的伟大人格，表达作者对他的钦佩之情。作者组合了大量的事实，构建起或类比、或对比的逻辑关系，借此巧妙地呈现了对马克思的看法与感情。

表达策略之三，是“运用修辞格，增强感染力”。不用“死亡”“去世”“逝世”，而说“当代最伟大的思想家停止思想了”，“他在安乐椅上安静地睡着了——但已经永远地睡着了”，这些隐喻性的表达极具意象性、场景化。类似的隐喻性表达还有一些，比如“这里就豁然开朗了，而先前无论资产阶级经济学家或者社会主义批评家所做的一切研究都只是在黑暗中摸索”，“把它们当作蛛丝一样轻轻拂去”，这些句子都极具形象化，流露出作者的感情倾向。“各国政府——无论专制政府或共和政府，都驱逐他；资产者——无论保守派或极端民主派，都竞相诽谤他，诅咒他”，“在整个欧洲和美洲，从西伯利亚矿井到加利福尼亚”，借用对称的句式、借代的手法，呈现出一幅幅巨大的群像画面，以此衬托出马克思的影响力。

当然，这篇悼词中还运用了一些其他的表达策略。其一，设定称谓中寄寓赞誉，比如“当代最伟大的思想家”“这位巨人”“科学家”“革命家”“创始人”。其二，运用表示最高程度的限定语彰显马克思的地位，比如“当代最伟大的”“不可估量”“独到的”“第一次”“当代最遭嫉恨和最受诬蔑”。其三，以退为进的评价，比如“一生中能有这样两个发现，该是很够了。即使只能作出一个这样的发现，也已经是幸福的了。但是……”，“老实说，协会的这位创始人即使没有别的什么建树，单凭这一成果也可以自豪”。

这些表达策略都依附于全文逐层推进的行文思路，展现了马克思波澜壮阔的生命历程，歌颂了他的丰功伟绩，表达了无比的悲痛之情。全文绝大部分句子用句号结尾，用笔克制；在不断蓄积情感力量的基础上，最后一句用了全文仅有的一个感叹号，将感情推向了高潮。

诔辞是中国哀悼文体的最古老的形式，是一种专门表彰死者功德的哀悼文体。曹丕《典论·论文》谈及文章四科（奏议宜雅，书论宜理，铭诔尚实，诗赋欲丽）时论及诔辞，强调“铭诔尚实”，反对浮夸溢美。而《在马克思墓前的讲话》这篇现代悼词多是以事实说话，逻辑严谨。若以“铭诔尚实”这一写作规范审视这篇现代悼词，那么，可以说这篇悼词是符合“尚实”要求的。明代吴讷在《文章辨体·序说》中论及祭文时说“或因丧葬而祭亲旧，真情实意，溢出言辞之表，诚学者所当取法者也”。而《在马克思墓前的讲话》一文的字里行间始终涌动着作者的真情实意，这种真情实意在追述往事、遣词造句之际足以令听众（及隐含读者）为之动容，“诚学者所当取法者也”。中国古代的诔辞、祭文与现代的悼词有很多相似之处。若以中国古典文论中关于诔辞、祭文的一些写作要求审视这篇现代悼词，那么，可以说《在马克思墓前的讲话》是一篇很好的作品。

理论推演　历史预言
——解读《在〈人民报〉创刊纪念会上的演说》

解读这篇演讲稿需要了解两组背景知识：一组是理论背景知识，另一组是历史背景知识。

此文涉及的理论背景知识是马克思提出的人类社会发展的基本规律，即生产力决定生产关系，而生产关系又反作用于生产力，生产力和生产关系的这种矛盾运动循环往复、不断推动社会生产发展，进而推动整个社会逐步走向高级阶段。

马克思主义政治经济学理论对生产力、生产关系及两者之间的关系还做了具体的阐释，大体意思如下：

生产力指具有一定生产经验和劳动技能的劳动者和他们所使用的生产资料结合起来，从而在物质资料生产过程中所产生的力量，也就是人类在生产过程中征服和改造自然界，并获得适合自己需要的物质资料的能力。生产力包括三个要素：劳动者、劳动资料、劳动对象。劳动者在生产力中是起主导作用的因素；劳动资料中的生产工具部分是生产力发展水平和性质的主要标志。生产关系指人们在物质资料生产过程中结成的相互关系。当生产关系已经完全不能适应生产力继续发展的客观要求时，就必须进行全面的变革，以新的适合生产力发展状况的生产关系来代替原来的、业已丧失其存在必然性的生产关系。

以上这些内容是这篇演讲稿的很多判断与推理的预设前提。

此文涉及的历史背景知识有三个。一个是“1848 年革命”，指 1848 至 1849

年在欧洲许多国家发生的资产阶级革命，1848 年革命打击了欧洲各国的封建专制制度，锻炼了无产阶级和革命群众，对马克思主义和后来欧洲工人运动及社会主义运动的发展有着深远的影响（见教材注释②）。二是《人民报》，英国宪章派的周报，1852 年 5 月由宪章运动的领袖之一、马克思和恩格斯的朋友厄·琼斯在伦敦创办（见教材注释①），而宪章运动是指 1836 至 1848 年英国工人们为得到自己应有的权利而掀起的工人运动。三是《人民报》创刊纪念会，1856 年 4 月 14 日，马克思作为流亡伦敦的外国革命人士代表参加《人民报》创刊四周年宴会并发表了这篇演说（见教材注释①），当时的工人革命运动处于低潮期。

以上这些内容是这篇演讲稿中的很多名词概念的内涵。这些内容也关乎这篇演讲稿的对象及场合，主要听众是《人民报》的编写人员及相关的革命代表，演讲的场合是一份革命报刊创刊的纪念活动。这些内容也明示了这篇演讲稿的现实针对性——当时的工人运动处于低潮期，需要有人为他们提供科学的理论，为他们指明前进的方向，坚定他们的信念，激发他们的勇气。

基于这些背景资料，解读这篇演讲稿需要思考的核心问题是：作者的核心观点是什么？解决这个核心问题的下位问题链是：

> 作者列举了哪些事实？提出了哪些观点？这些观点之间是什么关系？作者借助这些观点之间的逻辑关系要表达的核心观点是什么？

在演讲稿的第一段，作者提出两个观点。一是“所谓的 1848 年革命，只不过是一些微不足道的事件”，二是“那些革命吵吵嚷嚷、模模糊糊地宣布了无产阶级解放这个 19 世纪的秘密，本世纪革命的秘密”。

作者说前者，表示对 1848 年资产阶级革命的评价——“微不足道”。作者还紧跟着用了一个隐喻——“是欧洲社会干硬外壳上的一些细小的裂口和缝隙”，以“干硬外壳”表明欧洲社会的坚固，以“裂口”和“缝隙”表明 1848 年资产阶级革命撼动不了欧洲社会，再次强化了作者对这场革命的评价——“微不足道”。

作者说后者，表示1848年资产阶级革命的真正意义是“宣布了无产阶级解放”，而且连用两个同位语——“这个19世纪的秘密”“本世纪革命的秘密”，从19世纪百年历史的维度强化无产阶级革命的历史意义，同时，连用两个“秘密”强调无产阶级革命虽然有极大的历史意义，但是在革命初期还不为大多数人所知，还是一个“秘密”，一个“19世纪的秘密”，一个“本世纪革命的秘密”。作者在此之前也用了一系列隐喻，比如“一个无底深渊”，“一片汪洋大海，只要它动荡起来，就能把由坚硬岩石构成的大陆撞得粉碎”，借此表明无产阶级革命蕴藏了巨大的能量，预示了无产阶级将摧毁整个“干硬”的欧洲社会，建立新的秩序。

“微不足道”与“这个19世纪的秘密”“本世纪革命的秘密”构成了强烈的对比，相应的，“一些细小的裂口和缝隙”与“一个无底深渊”“一片汪洋大海”也构成了对比，喻体之间的对比关系投射在本体之间的对比关系上，形象地凸显了1848年资产阶级革命是微不足道的，而其暴露出的无产阶级革命却预示了历史的发展趋势。作者用一个“但是”连缀了两个观点，通过两种革命的对比，以一个转折复句的形式凸显了无产阶级的历史意义，同时，也强调了在特殊的历史时期，无产阶级革命还不为大多数人所知。

第一段略去隐喻部分，留存主干，其论述的思路可以表述为如下一组转折复句：

> 所谓的1848年革命，只不过是一些微不足道的事件，**但是**那些革命吵吵嚷嚷、模模糊糊地宣布了无产阶级解放这个19世纪的秘密，本世纪革命的秘密。

在演讲稿的第二段，作者提出了两个观点。一是“这个社会革命并不是1848年发明出来的新东西”，二是“欧洲社会在1848年以前也没有感觉到从四面八方包围着它、压抑着它的革命气氛”。

作者说前者，表示这个社会革命在1848年之前就已经酝酿起来了。作者又用了一个隐喻——“蒸汽、电力和自动走锭纺纱机甚至是比巴尔贝斯、拉斯拜尔和布朗基诸位公民更危险万分的革命家”。在这个隐喻中，“蒸汽、电力和自动走锭纺纱机”这些生产工具代表了新的生产力。作者借助这个隐喻揭示了这个社会革命的历史渊源，即新的生产力与“干硬”的欧洲社会（生产关系）之间产生了矛盾冲突，这一矛盾冲突在1848年之前就产生了，并最终引发了这个社会革命。这个观点的预设前提就是前文提及的马克思的理论——“生产力包括三个要素：劳动者、劳动资料、劳动对象。劳动者在生产力中是起主导作用的因素；劳动资料中的生产工具部分是生产力发展水平和性质的主要标志”，“当生产关系已经完全不能适应生产力继续发展的客观要求时，就必须进行全面的变革，以新的适合生产力发展状况的生产关系来代替原来的、业已丧失其存在必然性的生产关系”。

作者说后者，表示这个革命在1848年前还不为大多数人所知。作者还用了一个类比，“尽管我们生活在其中的大气把两万磅重的压力加在每一个人身上，你们可感觉得到吗”，形象地阐释了这种巨大但不为人所察觉的存在。

作者又一次用“但是”连缀两个观点，强调了这个社会革命虽然很早就在酝酿且充满了推翻旧制度的能量，但是在革命初期它可能潜藏在社会运行的表面之下。第二段的论述思路可以表述为如下一组转折复句：

> 这个社会革命并不是1848年发明出来的新东西。蒸汽、电力和自动走锭纺纱机甚至是比巴尔贝斯、拉斯拜尔和布朗基诸位公民更危险万分的革命家。但是，欧洲社会在1848年以前也没有感觉到从四面八方包围着它、压抑着它的革命气氛。

第一、二段的论述思路如下：

> 所谓的1848年革命，只不过是一些微不足道的事件，但是那些革命吵吵嚷嚷、模模糊糊地宣布了无产阶级解放这个19世纪的秘密，本世纪革命的秘密。
>
> 这个社会革命并不是1848年发明出来的新东西。蒸汽、电力和自动走锭纺纱机甚至是比巴尔贝斯、拉斯拜尔和布朗基诸位公民更危险万分的革命家。但是，欧洲社会在1848年以前也没有感觉到从四面八方包围着它、压抑着它的革

命气氛。

作者用第一个转折复句，强调了1848年资产阶级革命宣布了无产阶级革命的到来，彰显了无产阶级革命的两个特点，一是力量强大，二是在特定的历史时期暂时不为多数人所知。用第二个转折复句，揭示了这个社会革命的历史渊源，并强调了这个社会革命在特定的历史时期暂时不为多数人所知。而作者论述1848年的社会革命历史事实及其特征，其隐含的推论是无产阶级革命在1856年处于低潮期，但是在低潮的表象下仍涌动着巨大的革命力量，在不久的将来必将产生新的革命高潮，因为蓬勃发展的新的生产力与旧有的生产关系之间的矛盾冲突正不断加剧，这种不断加剧的矛盾冲突必然引发新的社会革命。作者向听众及更多的无产者论述无产阶级革命的特征，暗示其对当前革命形势的判断，目的是提振他们的革命信心。

在第三、四段，作者通过对当时社会事实的分析进一步明示其对当时革命形势的判断。

作者在第三段总括式地指出了当时的社会事实，列举了一组矛盾——“一方面产生了以往人类历史上任何一个时代都不能想象的工业和科学的力量；而另一方面却显露出衰颓的征兆，这种衰颓远远超过罗马帝国末期那一切载诸史册的可怕情景”。在第四段的前半部分又列举了六组充满矛盾的社会现象，可以表述为如下一组转折复句：

机器具有减少人类劳动和使劳动更有成效的神奇力量，然而却引起了饥饿和过度的疲劳。

工业和科学的力量成为财富的新源泉，但是也变成贫困的源泉，由于某种奇怪的、不可思议的魔力。

技术取得了胜利，但是这种胜利似乎是以道德的败坏为代价换来的。

人类愈益控制自然，个人却似乎愈益成为别人的奴隶或自身的卑劣行为的奴隶。

科学发出纯洁光辉，但是这光辉仿佛也只能在愚昧无知的黑暗背景上闪耀。

我们的一切发明和进步，似乎结果是使物质力量成为有智慧的生命，而人的生命则化为愚钝的物质力量。

转折复句的前半部分都是描述生产力的发展，回应前文的“一方面产生了以往人类历史上任何一个时代都不能想象的工业和科学的力量”；转折复句的后半部分都是描述种种异化的现象，包括生产工具对劳动者的异化、生产过程对劳动者的异化、人类的本质与人的异化、人与人之间关系的异化等，回应了“另一方面却显露出衰颓的征兆，这种衰颓远远超过罗马帝国末期那一切载诸史册的可怕情景”。作者用一句总结句揭示了这种种矛盾的实质，即“现代工业和科学为一方与现代贫困和衰颓为另一方的这种对抗，我们时代的生产力与社会关系之间的这种对抗，是显而易见的、不可避免的和毋庸争辩的事实”。作者多次列举这些充满矛盾的社会现象，反复强调当时社会的生产力与社会关系充满了激烈的矛盾冲突，并指出这些是事实，是“我们19世纪特征的伟大事实”“一件任何政党都不敢否认的事实”“显而易见的、不可避免的和毋庸争辩的事实”。

作者指出了两类政治力量对于这些事实截然不同的判断（或主张）。一类政治力量是非无产阶级阵营的一些政党，他们或是“痛哭流涕”，或是“可能为了要摆脱现代冲突而希望抛开现代技术”，或是“可能以为工业上如此巨大的进步要以政治上同样巨大的倒退来补充”。另一类是无产阶级政治力量，他们清醒地认识到这些现象意味着无产阶级的崛起，认识到矛盾冲突的制造者是无产阶级，作者用“狡狯的精灵”“勇敢的朋友好人儿罗宾”代指无产阶级，用“这个会迅速刨土的老田鼠”“光荣的工兵”代指无产阶级革命。作者用一个转折连词“可是”连缀了两类政治势力的不同态度，构建起强烈的对比，然后揭示了内在的原因——“我们知道，要使社会的新生力量很好地发挥作用，就只能由新生的人来掌握它们，而这些新生的人就是工人。工人也同机器本身一样，是现代的产物”。这个归因分析的预设前提就是前文提及的马克思主义政治经济学理论——“当生产关系已经完全不能适应生产力继续发展的客观要求时，就必须进行全面的变革，以新的适合生产力发展状况的生产关系来代替原来的、业已丧失其存在必然性的生产关系”，“生产力决定生产关系，而生产关系又反作用于生产力，生产力和生产关系的这种矛盾运动循环往复、不断推动社会生产发展，进而推动整个社会逐步走向高级阶段”。以上这部分的论述思路可以表述为如下一组转折复句与因果复句：

有些党派可能为此痛哭流涕；另一些党派可能为了要摆脱现代冲突而希望抛开现代技术；还有一些党派可能以为工业上如此巨大的进步要以政治上同样巨大的倒退来补充。可是我们不会认错那个经常在这一切矛盾中出现的狡狯的精灵，在那些使资产阶级、贵族和可怜的倒退预言家惊慌失措的现象当中，我们认出了我们的勇敢的朋友好人儿罗宾，这个会迅速刨土的老田鼠、光荣的工兵——革命。因为我们知道，要使社会的新生力量很好地发挥作用，就只能由新生的人来掌握它们，而这些新生的人就是工人，工人也同机器本身一样，是现代的产物。

作者比较了两个阵营面对同一充满矛盾冲突的社会现象的态度，借助归因分析提出社会变革的政治主张——工人是新生的人，要使社会的新生力量很好地发挥作用，就只能由新生的人来掌握它们。这就是此篇演讲稿的核心观点。

基于这样的政治主张，作者做了理论的推演与事实的验证。

理论推演可以表述为如下一组因果复句：

因为要使社会的新生力量很好地发挥作用，就只能由新生的人来掌握它们，而这些新生的人就是工人，工人也同机器本身一样，是现代的产物，又因为英国工人是现代工业的头一个产儿，所以他们在支援这种工业所引起的社会革命方面肯定是不会落在最后的，这种革命意味着他们的本阶级在全世界的解放，这种革命同资本的统治和雇佣奴隶制具有同样的普遍性质。

这组因果复句强调英国无产阶级投身于革命是理论推演的必然。同时，作者又辅之以事实验证。事实的验证是“英国工人阶级从上世纪中叶以来进行了多么英勇的斗争，这些斗争只是因为资产阶级历史学家把它们掩盖起来和隐瞒不说才不为世人所熟悉”。

基于理论的推演与事实的验证，作者发出了历史的预言——无产阶级作为新式生产力的代表必将顺应历史的发展潮流，推翻旧的生产关系，建立新的生产关系。作者用“菲默法庭”做类比，以“历史本身就是审判官，而无产阶级就是执刑者”为隐喻，形象地展现了他的历史预言，以此号召听众及广大无产者（特别是英国的无产阶级）在革命低潮期依然要用理论的眼光与历史的眼光看清社会发展的趋势，要坚定革命的信念，鼓起革命的勇气，继续为自身的解放而战斗。

全文的论述思路可以表述为如下一组复句：

所谓的 1848 年革命，只不过是一些微不足道的事件，但是那些革命吵吵嚷嚷、模模糊糊地宣布了无产阶级解放这个 19 世纪的秘密，本世纪革命的秘密。

这个社会革命并不是 1848 年发明出来的新东西。蒸汽、电力和自动走锭纺纱机甚至是比巴尔贝斯、拉斯拜尔和布朗基诸位公民更危险万分的革命家。但是，欧洲社会在 1848 年以前也没有感觉到从四面八方包围着它、压抑着它的革命气氛。（回顾历史，强调无产阶级力量的强大，指出蓬勃发展的新的生产力与旧有的生产关系之间产生的矛盾冲突是引发社会革命的根源，暗示在低潮的表象下正涌动着巨大的革命力量）

一方面产生了以往人类历史上任何一个时代都不能想象的工业和科学的力量；而另一方面却显露出衰颓的征兆，这种衰颓远远超过罗马帝国末期那一切载诸史册的可怕情景。

机器具有减少人类劳动和使劳动更有成效的神奇力量，然而却引起了饥饿和过度的疲劳。

工业和科学的力量成为财富的新源泉，但是也变成贫困的源泉，由于某种奇怪的、不可思议的魔力。

技术取得了胜利，但是这种胜利似乎是以道德的败坏为代价换来的。

人类愈益控制自然，个人却似乎愈益成为别人的奴隶或自身的卑劣行为的奴隶。

科学发出纯洁光辉，但是这光辉仿佛也只能在愚昧无知的黑暗背景上闪耀。

我们的一切发明和进步，似乎结果是使物质力量成为有智慧的生命，而人的生命则化为愚钝的物质力量。

现代工业和科学为一方与现代贫困和衰颓为另一方的这种对抗，我们时代的生产力与社会关系之间的对抗，是显而易见的、不可避免的和毋庸争辩的事实。（立足当下，揭示社会现实，指出蓬勃发展的新的生产力与旧有的生产关系存在激烈的矛盾冲突）

有些党派可能为此痛哭流涕；另一些党派可能为了要摆脱现代冲突而希望抛开现代技术；还有一些党派可能以为工业上如此巨大的进步要以政治上同样巨大的倒退来补充。可是我们不会认错那个经常在这一切矛盾中出现的狡猾的精灵，在那些使资产阶级、贵族和可怜的倒退预言家惊慌失措的现象当中，我们认出了我们的勇敢的朋友好人儿罗宾，这个会迅速刨土的老田鼠、光荣的工兵——革命。因为我们知道，要使社会的新生力量很好地发挥作用，就只能由新生的人来掌握它们，而这些新生的人就是工人。工人也同机器本身一样，是现代的产物。（归因分析，提出政治主张，揭示核心观点）

因为要使社会的新生力量很好地发挥作用，就只能由新生的人来掌握它们，而这些新生的人就是工人，工人也同机器本身一样，是现代的产物，又因为英国工人是现代工业的头一个产儿，所以他们在支援这种工业所引起的社会革命方面肯定是不会落在最后的，这种革命意味着他们的本阶级在全世界的解放，这种革命同资本的统治和雇佣奴隶制具有同样的普遍性质。事实上，英国工人阶级从上世纪中叶以来进行了多么英勇的斗争。（理论推演，事实验证，肯定英国无产阶级曾有的奋斗）

为了报复统治阶级的罪行，现在，欧洲所有的房子都画上了神秘的红十字。历史本身就是审判官，而无产阶级就是执刑者。（面向未来，发出预言）

整篇演讲稿回顾历史，强调无产阶级力量的强大，暗示在低潮的表象下正涌动着巨大的革命力量；立足当下，揭示社会现实，指出生产力与生产关系存在激烈的矛盾冲突；归因分析，提出政治主张，揭示核心观点；理论推演，事实验证，肯定英国无产阶级进行过的奋斗；面向未来，发出预言，号召全世界无产者联合起来，继续战斗。这篇演讲稿的目的意识很强。

而这个演讲过程又处处暗合“《人民报》创刊纪念会”这一场合的需要。《人民报》是英国宪章派的周报，而宪章运动是指1836至1848年英国工人们为得到自己应有的权利而掀起的工人运动。因此，作者先从1848年革命说起，过程中反复论述革命的特征、社会的现实、历史的潮流，结尾处反复肯定英国无产阶级革命的价值，号召无产者继续战斗，这些都暗合了《人民报》的创刊宗旨，也暗示了作者对这份报纸为推动革命事业所做的一切努力的高度肯定。

马克思的这场即兴演讲不仅有很强的目的意识和场合意识，而且还有很强的对象意识。作者作为流亡伦敦的外国革命人士代表，参加《人民报》创刊四周年宴会并发表了这篇演说，听众大部分应是这份报纸的编写人员及部分无产阶级革命代表，大部分人应是英国人，因此，他多处引用英国剧作家莎士比亚戏剧中的人物称谓（“狡狯的精灵”“好人儿罗宾”“会迅速刨土的老田鼠”“光荣的工兵”），以英国人熟悉的文化概念代指无产阶级及其革命，暗示无产阶级及其革命的特质，这样表达很容易引发听众的共鸣。而演讲是即时性的，过于抽象的理论阐释会增加听众的认知负担，因此，作者多次采用隐喻的手法，化抽象为形象，促使听众更好地理解自己的论述，比如第一段的“裂口”“缝隙”“深渊”“大海”，第二段的“更危险万分的革命家”，结尾的“审判官”“执刑者”等，还使用类比的手法追求类似的效果，比如“大气压力的不易察觉”“菲默法庭”“神秘的红十字”。

这篇演讲稿的语言，从形象到抽象，从具体到一般，从实例到理论，从戏剧化的称呼到严肃的论证，从理论推演到历史预言，其思维形式、思维强度不断变化，其语言形式始终在动、动、动，不断驱动着演讲向前推进，让读者感受到语言中涌动着的强大的能量。

观念碰撞　方法迥异
——解读《社会历史的决定性基础》

马克思逝世之后，有些理论家歪曲了马克思的观点，造成了当时德国青年极大的思想混乱。他们当中有不少人写信向恩格斯请教，大学生瓦尔特·博尔吉乌斯就是其中一位。恩格斯的这封回信围绕“社会历史的决定性基础”这一论题展开了讨论。恩格斯基于马克思主义原理反驳了当时的一些错误观点，澄清了一些重大的理论问题。解读恩格斯的这封回信需要解决的核心问题是：作者的历史观与方法论分别是什么？解决这个核心问题的下位问题具体如下：

> 瓦尔特·博尔吉乌斯提出了哪些问题？这些问题表现了当时理论界存在的哪些错误的观点？这些错误的观点反映出的方法论是什么？
>
> 作者是如何论证的？作者的观点是什么？
>
> 作者的各个观点之间是怎样的逻辑关系？作者借助这样的逻辑关系想表达的核心观点是什么？
>
> 作者的核心观点中隐含的历史观是什么？
>
> 作者论证过程中采用的方法论是什么？

从恩格斯回信的内容推测，瓦尔特·博尔吉乌斯提出的问题可能是三个：一是“科学发展是社会历史发展的决定性基础吗”；二是“经济发展是制约社会历史发展的唯一因素吗”；三是“伟大人物在制约社会历史发展中的作用是什么”。这三个问题分别从属于三个理论问题，一是“社会历史发展的决定性基础是什么”；二是“上层建筑对于社会历史发展起怎样的作用，上层建筑和经济发展有着怎样的关系，这种关系对于社会历史发展又起到怎样的作用”；三是“历史发展的必然性与偶然性之间是什么关系”。

瓦尔特·博尔吉乌斯这三个问题的产生很可能源于当时德国理论界的一些错误观点。第一个问题的产生可能源于有些理论家忽视了科学发展的决定因素，认为“科学发展是社会历史发展的决定性基础”，恩格斯在讥讽这些理论家的话语中指出了这种认识——“可惜在德国，人们撰写科学史时习惯于把科学看作是从天上掉下来的”。第二个问题的产生可能源于有些理论家忽视了经济发展与上层建筑之间的相互作用，认为“经济发展是制约社会历史发展的唯一因素”，恩格斯在信中明确指出了这种认识——“只有经济状况才是原因，才是积极的，其余一切都不过是消极的结果”，“经济状况自动发生作用”。第三个问题的产生可能源于有些理论家忽视了经济发展对社会历史发展的作用，认为社会历史的发展是由偶然性造成的，伟大人物创造了历史，恩格斯在信中指出了这种认识——“在德国，达到正确理解的最大障碍，就是著作界对于经济史的不负责任的忽视。不仅很难抛掉学校里灌输的那些历史观，而且更难搜集为此所必需的材料”。这些错误观点反映了这些理论家往往用静止的、孤立的思维分析问题，他们的方法论存在缺陷。

针对第一个问题的讨论，作者分两个部分展开论述。

第一部分的论述集中于正文第二段。在这一段中，作者用了两个方法展开论证，先是辨析了几个重要概念内涵之间的关系，再是分析了几个事物之间的因果关系。

作者先是辨析了“经济关系”与“技术”这两个概念内涵之间的逻辑关系，他界定了作为“社会历史的决定性基础的经济关系”的内涵，即“一定社会的人们生产生活资料和彼此交换产品（在有分工的条件下）的方式”，由此推导出“经济关系”的外延之一是“技术”，即“这里包括生产和运输的全部技术”，还推导出“经济关系”的另外三个外延，即“这些关系赖以发展的地理基础”“事实上由过去沿袭下来的先前各经济发展阶段的残余（这些残余往往只是由于传统或惰性才继续保存着)”“围绕着这一社会形式的外部环境”。依照作者的界定与推理，可以将“经济关系”视作属概念(上位概念)，“技术”“地理基础”“残余”“外部环境”是“经济关系”的种概念(下位概念)，因此，“技术”与“经济关系”之间是种属关系。

作者再分析了“技术”与“产品的交换方式以及分配方式”“阶级的划分”“统治关系和奴役关系”“国家、政治、法”之间的关系，指出“技术”是后面这些事物发展的决定因素。由此，可以推导出“技术”是社会历史发展的决定因素。

第二部分的论述集中于正文第三段。作者在此处所说的“技术的状况和需要”“社会一旦有技术上的需要”，是指“经济发展的需要”。在此基础上，作者分析“技术”“科学”“经济发展需求”之间的关系，指出“经济发展需求”是“科学”的决定因素，“科学”是“技术”的决定因素。为了阐释清楚科学的发展“在更大得多的程度上”依赖于经济发展需求，他特意举了两个例子，一是意大利山区治理河流的需要推动流体静力学的研究，二是发现电在技术上的实用价值推动了电学的研究。因此，这部分建构起的因果逻辑链是：经济发展需求决定科学的发展，科学发展决定技术发展。

将第二部分的因果逻辑链与第一部分的因果逻辑链衔接在一起，构成的因果逻辑链是：经济发展需求决定科学的发展，科学发展决定技术发展，技术发展决定着产品的交换方式及分配方式，从而在氏族社会解体后也决定着阶级的划分，决定着统治关系和奴役关系，决定着国家、政治、法，等等。因此，科学是社会历史发展的决定因素，但不是归根到底的决定因素，不是社会历史发展的决定性基础，同时，“技术”从属于“经济关系”，因此，经济才是社会历史发展归根到底的决定因素，才是社会历史的决定性基础。作者的推理可以表述为如下一组因果复句：

因为“技术”从属于“经济关系”，又因为经济发展需求决定科学的发展，科学发展决定技术发展，技术发展决定着产品的交换方式及分配方式，从而在氏族社会解体后也决定着阶级的划分，决定着统治关系和奴役关系，决定着国家、政治、法，等等，所以科学是社会历史发展的决定因素，但不是归根到底的决定因素，不是社会历史发展的决定性基础，经济才是社会历史发展归根到底的决定因素，才是社会历史的决定性基础。

作者借助这样的论证，批驳了有些理论家提出的观点，即“科学发展是社会历史发展的决定性基础”。作者讥讽这些人的谬论——“可惜在德国，人们撰写科学史时习惯于把科学看作是从天上掉下来的”，暗示了这些人在方法论上存在的问题，即孤立地看待问题。

针对第二个问题的讨论，作者分析了上层建筑与经济基础的互动关系，还分析了这两者在这一组互动关系中的主从地位。作者首先指出上层建筑的发展是以经济发展为基础的，再指出上层建筑中诸要素（比如政治、法、哲学、宗教、文学、艺术）的互相作用及对经济基础发生的作用，最后指出在上层建筑与经济基础互相作用的运行系统中经济基础处于主导地位，起了决定性作用——上层建筑诸要素的互相作用并对经济基础发生的作用“是在归根到底不断为自己开辟道路的经济必然性的基础上的相互作用”。作者以 1648 至 1830 年德国的社会历史发展情况为例来阐释自己的观点。作者在正文第五段的结尾又重申了这一观点，即“在这些现实关系中，经济关系不管受到其他关系——政治的和意识形态的——多大影响，归根到底还是具有决定意义的，它构成一条贯穿始终的、唯一有助于理解的红线”。其论证思路可以呈现为如下一组因果复句：

因为经济基础决定上层建筑，上层建筑又反作用于经济基础，又因为经济基础在上层建筑与经济基础的相互作用中处于主导地位，起到决定性作用，所以社会历史发展的决定性基础是经济，同时，社会历史发展又受上层建筑的影响及上层建筑与经济基础相互作用的影响。

作者借助这一组论证，批驳了有些理论家提出的观点，“经济发展是制约社会历史发展的唯一因素”，暗示了对方在方法论上存在的错误——静止的、孤立的思维，甚至讥讽这些人的观点源于“有时不加思考地想象”。

作者在正文第五段两次用到“不是 / 不像……而是……”的并列复句：

> 这并不是说，只有经济状况才是原因，才是积极的，其余一切都不过是消极的结果，而是说，这是在归根到底不断为自己开辟道路的经济必然性的基础上的相互作用。
>
> 并不像人们有时不加思考地想象的那样是经济状况自动发生作用，而是人们自己创造自己的历史，但他们是在既定的、制约着他们的环境中，是在现有的现实关系的基础上进行创造的，在这些现实关系中，经济关系不管受到其他关系——政治的和意识形态的——多大影响，归根到底还是具有决定意义的，它构成一条贯穿始终的、唯一有助于理解的红线。

作者在“不是 / 不像”部分列出了有些理论家的观点，在“而是”部分提出了自己的观点，他借助每一组并列复句对举了双方的不同观点，用先否定再肯定的方式表明了自己的态度，他运用这两组意思接近的并列复句反复强调了自己的观点。

针对第三个问题的讨论，作者分析了社会历史发展中的偶然性与必然性的关系，此处所说的“偶然性”指向的是社会历史发展中所有的偶然现象，此处所说的“必然性”指向的是经济归根到底制约着历史发展的方向。他先指出了人类创造历史的特点，即“到现在为止，他们并不是按照共同的意志，根据一个共同的计划，甚至不是在一个有明确界限的既定社会内来创造自己的历史。他们的意向是相互交错的”。基于社会历史发展的这种特点，作者推导出偶然性与必然性的关系，即“在所有这样的社会里，都是那种以偶然性为其补充和表现形式的必然性占统治地位”，而这种“通过各种偶然性来为自己开辟道路的必然性，归根到底仍然是经济的必然性”，换言之，社会历史发展的决定性基础是经济，经济的必然性是以偶然性为其补充和表现形式的，是通过各种偶然性来为自己开辟道路的。作者的论证思路可以呈现为如下一组因果复句：

因为人们自己创造自己的历史，但是到现在为止，他们并不是按照共同的意志，根据一个共同的计划，甚至不是在一个有明确界限的既定社会内来创造自己的历史，他们的意向是相互交错的，所以在所有这样的社会里，都是那种以偶然性为其补充和表现形式的必然性占统治地位，而在这里通过各种偶然性来为自己开辟道路的必然性，归根到底仍然是经济的必然性，换言之，社会历史的发展决定性基础是经济，经济的必然性是以偶然性为其补充和表现形式的，是通过各种偶然性来为自己开辟道路的。

作者借助这一组推理，指出经济的必然性归根到底制约着社会历史的发展，而这种经济的必然性的外显形式是历史上所有的偶然现象，也即偶然性与必然性之间是表里关系，偶然性是“表”，必然性是“里”。

为了论证这个观点的合理性，作者展开了三个层次的讨论。

首先，作者聚焦于社会历史中常见的一种偶然现象——伟大人物的出现，他列举了拿破仑、凯撒、奥古斯都、克伦威尔等历史人物，指出这些伟大的历史人物的出现是偶然现象，但是这些历史人物如果不出现，也即这些偶然现象没有发生，从概率上看，社会历史发展的总体方向不会因之发生根本改变，因为一定会出现这些历史人物的代替者（可能好一些或差一些），也即这些没有发生的偶然现象会被其他类似的偶然现象替代，而这些具有替代性质的类似的偶然现象最终会出现的决定性基础是经济的必然性。作者借助关于伟大人物这一偶然现象被其他类似偶然现象替代的必然性的讨论，阐释了在“伟大人物的出现”这类社会历史现象中偶然性与必然性之间的表里关系。

其次，他列举了梯叶里、米涅、基佐、摩尔根的历史研究来验证自己的观点。

最后，他进一步将关于“伟大人物的出现”这个偶然现象讨论的结论推而广之，指出社会历史上所有的偶然现象都是如此。他构建了一个数学模型，在这个模型中，他设定社会历史的偶然现象是一个变量因素，设定经济发展是另一个变量因素，他指出社会历史的偶然现象的发展趋势是一条曲线，而从较大的历史时间尺度与较广的历史事件范畴来考察，这条曲线的中轴线与经济发展的趋势线是平行的。他借助这个数学模型论证了偶然性与必然性之间的表里关系在整个社会历史发展中具有普遍性。

作者借助这一组论证，批驳了有些理论家提出的观点——“社会历史的发展是由偶然性造成的”，“伟大人物创造了历史”。他指出德国学界存在这种错误史观（英雄史观）的症结之所在，也即“在德国，达到正确理解的最大障碍，就是著作界对于经济史的不负责任的忽视”，再次暗示了这些学者在方法论上存在的问题——孤立、片面地分析问题。

瓦尔特·博尔吉乌斯提出的第一个问题指向的理论问题是“社会历史发展的决定性基础是什么”，第二个问题指向的理论问题是“上层建筑对于社会历史发展起怎样的作用，上层建筑和经济发展有着怎样的关系，这种关系对于社会历史发展又起到怎样的作用”，第三个问题指向的理论问题是“社会历史发展的必然性与偶然性之间是什么关系”。针对第一个理论问题，作者的观点是社会历史发展的决定性基础是经济。针对第二个理论问题，作者的观点是社会历史发展的决定性基础是经济，同时，社会历史发展又受上层建筑的影响及上层建筑与经济基础相互作用的影响。针对第三个理论问题，作者的观点是社会历史发展的决定性基础是经济，经济的必然性是以偶然性为其补充和表现形式的，是通过各种偶然性来为自己开辟道路的。因此，第一个观点是核心观点，是第二、三个观点的预设前提，而第二、三个观点都是在第一个观点的统摄下对其做进一步的细化、展开，第二个问题是从多个制约因素之间关系的角度丰富了第一个观点的内涵，第三个问题是从现象与本质的角度丰富了第一个观点的内涵。故而，作者的核心观点是社会历史发展的决定性基础是经济。

作者的核心观点反映了他的唯物史观，也即一切重要历史事件的终极原因和动力是社会的经济发展，即生产方式和交换方式的改变。作者的观点与部分理论家的观点产生分歧的本质原因正是双方思想观念的差异。而作者的观点与部分理论家的观点产生分歧的另一个重要原因是双方在方法论上的差异。作者在整个讨论过程中采用了唯物辩证法，考察了社会历史发展中现象与本质、原因与结果、必然与偶然等问题。因此，这封回信反映了在那个历史时期学者之间的观念碰撞，也反映了学者之间的方法论的差异。

讨论这三个复杂的理论问题，如果采用学术论文，就可以展开更为详细、周密的论证，可以采用极为严谨、规范的措辞，而短短的一封书信相对较难做到这些。恩格斯也意识到这个问题，因此他采用了两个补救措施，一是向瓦尔特·博尔吉乌斯推荐了马克思和他自己的几篇学术论文，希望他能在阅读这些学术论文的过程中对这些理论问题有更全面、更深入的认识，二是提醒瓦尔特·博尔吉乌斯“不要过分推敲上面所说的每一句话，而要把握总的联系”。这反映出恩格斯治学的严谨及敏锐的文体意识。

需根解损　亦庄亦谐
——解读《拿来主义》

讨论一个决策，探讨一些主张，需要有一个较好的思维框架。“俄勒冈式辩论”[①]提出的思维框架就是较好的一种。“俄勒冈式辩论”制度要求双方辩手分四个思考维度讨论一个政策问题，然后双方辩手围绕这四个思考维度开展攻防辩论。这四个思考维度分别是“需”“根”“解”“损”。“需”是指需求性，这个需求性不是指“need”，不是指“necessity”，而是指“harm”，即我们在现实中是否遇到一些问题、麻烦、痛苦、困扰，以至于我们需要采取一个新的行动、制定一个新的政策，在这个维度，我们通常需要问的是“what's your problem”。“根”是指根属性，是指“inherent”，即造成这些问题、麻烦、痛苦、困扰的根本原因是什么，我们通常需要问的是“in order to prove that the problem and harm are inherent in the status quo”。“解”是指解决力，即这个新行动或新政策在多大程度上可以解决我们面对的问题、麻烦、痛苦、困扰。“损”是指损益比，即看损失和收益的相比。这四个思考维度，通俗地讲，就是：我们面临什么麻烦；为什么有这个麻烦；我们怎么办；这么办效果好吗，成本高吗。这四者之间还是一个循序渐进的思考过程，依托这四个思考步骤可以较为深入地探讨一个决策的现实针对性、适切性、操作性、有效性等。

① “俄勒冈式辩论”或译“奥瑞冈式辩论”，是源于1924年美国俄勒冈州立大学口头传播学教授史坦立·葛瑞（Stanly Gray）参照英、美等国法庭中的辩论模式，发展出的一种“交互质询”式的辩论制度。

这个思考框架也可以成为解读《拿来主义》的思考路径。解读这篇文章需要思考的核心问题是：作者是如何论证自己的主张的？解决这个核心问题的下位问题具体如下：

作者指出了哪些现实问题？揭示了哪些造成这些现实问题的根本原因？作者的主张是什么？作者的主张的具体操作办法是什么、前备条件是什么？作者认为这样的主张会产生的效益是什么？作者的论证思路是怎样的，为什么采用这样的论证思路？作者用怎样的语言形式论述，为什么采用这样的语言形式？

作者指出了鸦片战争前的中国及鸦片战争后当时的中国在处理对外关系上存在的三个问题。鸦片战争前的中国存在的问题是“闭关主义”，鸦片战争后当时的中国奉行“送去主义”，同时被动接受了列强送来的很多东西。

中国封建统治者紧闭的国门，早已被列强的坚船利炮摧毁了。中国封建统治者执行的“闭关主义”政策也被迫放弃了，因为列强数次发动战争，逼迫中国统治者签订了一系列不平等条约（“碰了一串钉子”）。当时中国面临的问题是从“闭关主义”转向了“送去主义”，因此，作者简要地叙述了“闭关主义”的结局之后，转而提出了当时中国存在的现实问题——“到现在，成了什么都是‘送去主义’了”，并且以“学艺”领域为例，列举了两个已发生的事实——送古董到西方展览但不知后事如何，几位“大师”们送画到西方展出，列举了一个将来可能发生的事件——送梅兰芳博士到外国表演，具象化地描述了“送去主义”的内容。这部分的论证思路，可以表述为如下一组复句：

虽然中国一向是所谓“闭关主义”，自己不去，别人也不许来。但是，自从给枪炮打破了大门之后，又碰了一串钉子，到现在，成了什么都是“送去主义”了。

单是学艺上的东西，近来就先送一批古董到巴黎去展览，还有几位“大师”们捧着几张古画和新画，在欧洲各国一路的挂过去，叫作“发扬国光”。听说不远还要送梅兰芳博士到苏联去，以催进“象征主义”，此后是顺便到欧洲传道。

作者提出“送去主义”这个问题，同时，直陈一个不正常的现象——“我们没有人根据了‘礼尚往来’的仪节，说道：拿来”。针对这些问题，他分析了“送去主义”之所以是个问题的原因。他指出部分人为了维护“送去主义”可能提出的两个理由：一是“能够只是送出去，也不算坏事情，一者见得丰富，二者见得大度”；二是“有人说，掘起地下的煤来，就足够全世界几百年之用”。这两个理由是导致“送去主义”的重要原因。针对这两个理由，作者分别予以反驳。

作者针对第一个理由中提出的“丰富”“大度”，先列举尼采的自诩——“他是太阳，光热无穷，只是给与，不想取得”，接着指出尼采究竟不是太阳，且发了疯，揭示了尼采的说法与现实之间的矛盾，暗示了一个人所拥有的资源丰富到如太阳般的无穷是不切实际的，既然一个人所拥有的资源不是无穷的，那么一个人因资源无穷而引发的“只是给与，不想取得”的“大度”也是不切实际的。以此类推，说明中国不是光热无穷的太阳，也不能“只是给与，不想取得”，即中国的东西不存在“无穷”，中国也不存在这种由“无穷”引发的“只是给与，不想取得”的“大度”。

作者针对第二个理由，以煤炭资源的有限类推出中国东西的有限——纵然丰富，也总有耗尽之时，同时指出，中国东西耗尽之时，虽然我们也许不在了，但是后人还在，进而推导出一个结论，即从长远考虑，我们需要给子孙后代留一些东西，反之，不给子孙留一些东西，就会逼迫子孙不得不主动接受列强送来的东西——“要不然，则当佳节大典之际，他们拿不出东西来，只好磕头贺喜，讨一点残羹冷炙做奖赏”，“这种奖赏，不要误解为‘抛来’的东西，这是‘抛给’的，说得冠冕些，可以称之为‘送来’”。换言之，中国纵然丰富，也是有极限的，所谓的“只是给与，不想取得”的“大度”将贻害子孙。

聚焦“丰富”“大度”这两个关键词，作者在第一层次上指出了中国资源不存在“无穷”，以及不存在因“无穷”而产生的所谓的“大度”，作者在第二层次上进一步揭示了中国资源耗尽的结局，指出所谓的“大度”的危害性，层层推进地批驳了“送去主义”的荒谬，即“什么都是‘送去主义’”，“没有人根据了‘礼尚往来’的仪节，说道：拿来”。“什么都是”是个全称判断，“没有人”也是个全称判断。换言之，作者不是反对送去，不是反对必要的对外交流，而是反对“什么都是‘送去主义’”，反对“没有人根据了‘礼尚往来’的仪节，说道：拿来”。

基于以上的原因分析，作者提出了解决问题的主张——“我只想鼓吹我们再吝啬一点，‘送去’之外，还得‘拿来’，是为‘拿来主义’”。

第一至五段，可以视作文章的第一部分。作者从“需求性”“根属性”“解决力”三个维度，指出了当时中国在处理对外关系上存在的历史问题与现实问题，以驳论的方式揭示了这些问题的产生原因及严重后果，进而提出了自己的主张。作者的论述思路可以表述为如下一组复句：

虽然中国一向是所谓“闭关主义”，自己不去，别人也不许来。但是，自从给枪炮打破了大门之后，又碰了一串钉子，到现在，成了什么都是“送去主义”了。

虽然中国到现在，成了什么都是“送去主义”了。但我们没有人根据了“礼尚往来”的仪节，说道：拿来！我只想鼓吹我们再吝啬一点，“送去”之外，还得“拿来”，是为“拿来主义”。

因为虽然能够只是送出去，也不算坏事情，一者见得丰富，二者见得大度，但是中国不是光热无穷的太阳，不能只是给与，不想取得。虽然中国的东西可能丰富，但是终有耗尽之时，虽然耗尽之时我们不在了，但是我们的子孙是在的，所以还应该给他们留下一点礼品。如若不然，就当佳节大典之际，他们拿不出东西来，只好磕头贺喜，讨一点残羹冷炙做奖赏。

作者先批驳了“送去主义”的荒谬，再提出“拿来主义”，破中有立。

要不然，则当佳节大典之际，他们拿不出东西来，只好磕头贺喜，讨一点残羹冷炙做奖赏。

> 这种奖赏，不要误解为“抛来”的东西，这是“抛给”的，说得冠冕些，可以称之为“送来”……

这两句是一个重要的过渡，衔接了文章的第一部分与第二部分（第六、七段）。“送去主义”的恶果是不得不接受“送来”的东西，由此，自然进入第二部分关于“送来”的论述。

作者在第二部分指出了当时中国社会的第二个问题——“我们被‘送来’的东西吓怕了。先有英国的鸦片，德国的废枪炮，后有法国的香粉，美国的电影，日本的印着‘完全国货’的各种小东西。于是连清醒的青年们，也对于洋货发生了恐怖”。首先是“送来”的东西不好，其次是不少人被“送来”的东西吓怕了。作者揭示了造成这一问题的根本原因——“其实，这正是因为那是‘送来’的，而不是‘拿来’的缘故”。前文说得明白，“这种奖赏，不要误解为‘抛来’的东西，这是‘抛给’的，说得冠冕些，可以称之为‘送来’”，作者明示了此文中“送来”的内涵是列强不怀好意“抛给”的、中国被动接受的，因此，东西自然不好，部分国人也自然被吓怕了。但是，不能因为列强送来的东西不好，不能因为被送来的东西吓怕了，从而失去清醒，全盘否定国外的东西，再次走向自我封闭，因此，作者再次重申了“拿来主义”，并提出了“拿来主义”的核心要求——“要运用脑髓，放出眼光，自己来拿”。第二部分的论证思路可以表述为如下一组复句：

> 我在这里也并不想对于“送去”再说什么，否则太不“摩登”了。我只想鼓吹我们再吝啬一点，“送去”之外，还得“拿来”，是为“拿来主义”。但我们被“送来”的东西吓怕了。先有英国的鸦片，德国的废枪炮，后有法国的香粉，美国的电影，日本的印着“完全国货”的各种小东西。于是连清醒的青年们，也对于洋货发生了恐怖。其实，这正是因为那是“送来”的，而不是“拿来”的缘故。所以我们要运用脑髓，放出眼光，自己来拿！

“送来”与“拿来”，一字之差，差异在于，前者是被动的，后者是主动的，在获取国外东西的态度的范畴中，两者构成了矛盾关系，而前文第一至三段的论证结论是中国不能自我封闭，不能只“出”而不“进”，因此，作者先批驳了“送来主义”，然后用反证法自然推导出我们必须要秉持“拿来主义”。他又一次先破后立，不断论证自己主张的必要性、合理性。

第三部分（第八、九段），作者先果断地提出“拿来”，再用类比、比喻的手段阐释了“拿来主义”的操作方法。拿来主义者如何对待国外的东西？作者以一个穷青年对待老宅子的三种错误做法，指出了“拿来主义”者所反对的做法。第一种是担心被污染，不敢接受；第二种是为了保存所谓的清白，彻底拒绝；第三种是主动接受外来东西中糟粕的部分。作者分别斥之为“孱头”“昏蛋”“废物”。作者认为“拿来主义”者应该占有、挑选。如何占有、如何挑选？他又以“鱼翅”“鸦片”“烟枪和烟灯”“姨太太”为喻，列举了国外各种类型东西的特质，有养料的、有部分用处的、有害处的，然后采用分类讨论的方式提出了各自对应的方法——“或使用，或存放，或毁灭”。

第八段是第一次分类讨论，第九段是第二次分类讨论，一反一正。这两部分可以用“不是……而是……”这种表示并列关系的复句呈现作者的论证思路：

> “拿来主义”者首先是不管三七二十一，“拿来”！但是，“拿来主义”者不是怕给外来的东西染污了，徘徊不敢接受；不是勃然大怒，彻底拒绝，算是保存自己的清白，也不是接受一切外来东西，包括糟粕部分。而是占有、挑选。看见有养料的，吸取；看见有部分价值的，只送到相应的地方，发挥其作用；看见没有价值的东西，大可以毁掉的了。

最后一段是文章的第四部分。作者态度鲜明地重申此文的核心观点——“我们要拿来”，再从“损益比”的维度指出了“拿来主义”的预期效果与必要性。他用表示假设关系的复句指出了“拿来主义”的效果——“我们要拿来。我们要或使用，或存放，或毁灭。那么，主人是新主人，宅子也就会成为新宅子”；用表示条件关系的复句指出了“拿来主义”的必要性——“没有拿来的，人不能自成为新人，没有拿来的，文艺不能自成为新文艺”。其间，又用一个表示转折关系的复句指出了“拿来主义”者的前备条件——“首先要这人沉着，勇猛，有辨别，不自私”。其中也隐含了奉行“拿来主义”所需要付出的成本。这部分的论证思路可以表述为如下一组复句：

如果我们拿来，我们或使用，或存放，或毁灭，那么，主人是新主人，宅子也就会成为新宅子。但是首先要这人沉着，勇猛，有辨别，不自私。只有拿来的，人才能自成为新人，只有拿来的，文艺才能自成为新文艺。

至此，作者从需、根、解、损四个维度论述了自己的主张，全文的论证思路可以表述为如下一组复句：

虽然中国一向是所谓“闭关主义”，自己不去，别人也不许来。但是，自从给枪炮打破了大门之后，又碰了一串钉子，到现在，成了什么都是“送去主义”了。（需求性）

虽然中国到现在，成了什么都是“送去主义”了。但我们没有人根据了“礼尚往来”的仪节，说道：拿来！我只想鼓吹我们再吝啬一点，“送去”之外，还得“拿来”，是为“拿来主义”。（解决力）

因为虽然能够只是送出去，也不算坏事情，一者见得丰富，二者见得大度，但是中国不是光热无穷的太阳，不能只是给与，不想取得。虽然中国的东西可能丰富，但是终有耗尽之时，虽然耗尽之时我们不在了，但是我们的子孙是在的，所以还应该给他们留下一点礼品。如若不然，就当佳节大典之际，他们拿不出东西来，只好磕头贺喜，讨一点残羹冷炙做奖赏。（根属性）

这种奖赏，不要误解为“抛来”的东西，这是“抛给”的，说得冠冕些，可以称之为“送来”。（过渡）

我在这里也并不想对于“送去”再说什么，否则太不“摩登”了。我只想鼓吹我们再吝啬一点，“送去”之外，还得“拿来”，是为“拿来主义”。（解决力）

但我们被“送来”的东西吓怕了。先有英国的鸦片，德国的废枪炮，后有法国的香粉，美国的电影，日本的印着“完全国货”的各种小东西。于是连清醒的青年们，也对于洋货发生了恐怖。（需求性）其实，这正是因为那是“送来”的，而不是“拿来”的缘故。（根属性）所以我们要运用脑髓，放出眼光，自己来拿！（解决力）

“拿来主义”者首先是不管三七二十一，“拿来”！但是，“拿来主义”者不是怕给外来的东西染污了，徘徊不敢接受；不是勃然大怒，彻底拒绝，算是保存自己的清白，也不是接受一切外来东西，包括糟粕部分。而是占有、挑选。看见有养料的，吸取；看见有部分价值的，只送到相应的地方，发挥其作用；看见没有价值的东西，大可以毁掉的了。（解决力）

如果我们拿来，我们或使用，或存放，或毁灭，那么，主人是新主人，宅子也就会成为新宅子。但是首先要这人沉着，勇猛，有辨别，不自私。只有拿来的，人才能自成为新人，只有拿来的，文艺才能自成为新文艺。（损益比）

纵观全文，作者先从“需求性”入手提出了当时中国的两个问题，一是“送去主义”，二是被动接受列强送来的东西，接着从“根属性”入手分别探讨了造成这两个问题的原因，然后从“解决力”这个维度提出了自己的主张——“我们要拿来”，用类比、比喻阐释了解决方法的具体操作建议。而针对当时中国的这两个问题，作者先谈“送去主义”，再从“送去主义”的恶果（“拿不出东西来，只好磕头贺喜，讨一点残羹冷炙做奖赏”）引出被动接受送来的东西，水到渠成。先谈“送去主义”，指出中国必须要接受外来的东西，再谈“送来”的问题，指出必须要有选择地接受外来的东西，前者是后者的前提条件，后者在前者基础上进一步深化讨论。最后一段，重申论点，再从“损益比”的角度提出自己主张的预期效果与必要性。作者的论证思路非常严密，有较强的说服力。

作者的语言具有较强的攻击力。他多处用到反讽的手法，比如称那些出国办画展的为“大师”，称这种行为为“发扬国光”，又如“活人替代了古董，我敢说，也可以算得显出一点进步了”。这样的例子很多。他还善于用行为动词，以“漫画”的笔法勾勒一些他认为的丑恶现象，比如把办画展说成“捧着几张古画和新画，在欧洲各国一路的挂过去”，又如“欣欣然的蹩进卧室，大吸剩下的鸦片”。他也很会展现某些人的可笑动机，暴露其内心丑恶的一面，讽刺某些人的虚伪造作，比如“勃然大怒，放一把火烧光，算是保存自己的清白”，“不过因为原是羡慕这宅子的旧主人的，而这回接受一切”，“抛在路上以显其‘平民化’”。他善于揭示矛盾，呈现出生活中荒谬悖理的一面，比如“尼采就自诩过他是太阳，光热无穷，只是给与，不想取得。然而尼采究竟不是太阳，他发了疯”，“中国一向是所谓‘闭关主义’，自己不去，别人也不许来。自从给枪炮打破了大门之后，又碰了一串钉子，到现在，成了什么都是‘送去主义’了”。作者还会用自嘲的手法，以退为进，比如“我在这里也并不想对于‘送去’再说什么，否则太不‘摩登’了。我只想鼓吹我们再吝啬一点，‘送去’之外，还得‘拿来’，是为‘拿来主义’”。当然，文章中也影射了很多人，不经意间顺手一击，比如“或是做了女婿换来的”，教材的注释中有一些，鲁迅研究者也考证过一些，此处就不一一列举了。这些语言手段的运用，达成了作者的写作追求——杂文是匕首，寸铁杀人，一刀见血。

作者对一些人、事的评价，往往一针见血，比如“孱头”“昏蛋”“废物”，又如“不要误解为‘抛来’的东西，这是‘抛给’的”，也善于用类比、比喻的手段深入浅出地论述道理。而他提出正面主张往往多用短句——“他占有，挑选”，“或使用，或存放，或毁灭”，甚至还用感叹句——“拿来！”“自己来拿！”判断一语中的，语气斩钉截铁。

论述一些丑恶的现象，语带诙谐；阐释自己正面的主张，尤其是最后一段，语气庄重、严肃。这种语言形式的转换也暗示了作者情感的转换。

种种语言手段的巧妙运用，增强了这篇文章语言的攻击力。

需、根、解、损，这个思维框架，不仅可以用于这篇杂文的解读，也可以用于解读关于决策讨论的一些议论文，有助于梳理文章的论证思路，判断文章的逻辑性。而分析语言手段的运用，往往也是发现作者语言风格的关键。

前后推演　现身说法
——解读《读书：目的和前提》

赫尔曼·黑塞是德国作家，1946年获诺贝尔文学奖，代表作有《荒原狼》《轮下》《悉达多》等。他深受佛、道等东方思想的影响。第二次世界大战后，他的作品风靡世界，受到几代年轻读者喜爱。《读书：目的和前提》是他写的一篇随笔。这篇随笔记述了他的读书生活与感悟。解读这篇文章可以思考的核心问题是：作者的核心观点是什么？解决这个核心问题，需要思考如下一些下位问题：

1. 作者写这篇文章针对的现实是什么？这种现状体现的价值追求是什么？

2. 这篇文章所说的“读书”的内涵是什么？

3. 聚焦“读书的目的”这个论题，作者谈了哪些观点？这些观点之间的逻辑关系是怎样的？作者的主要观点是什么？

4. 聚焦“读书的前提”这个论题，作者谈了哪些观点？这些观点之间的逻辑关系是怎样的？作者的主要观点是什么？

5. 作者写了自己哪些读书的往事？作者是如何组织这些材料的？通过这些材料与材料之间的关系，作者想表达什么？

6. 论述部分（第一至四段、第八段）与叙述部分（第五至七段）是什么关系？通过这个关系，作者想表达什么？

作者写这篇文章针对的现实之一是"当今之世，对书籍已经有些轻视了"。这一现状表现的是"为数甚多的年轻人"的认识与行为：他们的认识是"似乎觉得舍弃愉快的生活而埋头读书，是既可笑又不值得的"；他们的行为是"挤得出时间一星期去泡六次咖啡馆，在舞池中消磨许多时光"。作者对这种现状持否定的态度。这种否定态度是通过一个转折复句与一个反问句传递出来的：

他们认为人生太短促，太宝贵，却又挤得出时间一星期去泡六次咖啡馆，在舞池中消磨许多时光。

可整天待在这些地方，难道就比我们一天留一两个小时去读古代哲人和诗人的作品，更能接近真正的生活吗？

"人生太短促，太宝贵"，这是作者与"为数甚多的年轻人"的共识。面对人生的这个特点，作者的抉择是"研读世界文学"，而"为数甚多的年轻人"是泡咖啡馆、跳舞，两种抉择之间构成了强烈的对比。这个转折连词"却"流露出作者对这种现状的不满。而作者用反问句则更表达了对这种生活状态的否定。

作者写这篇文章针对的现实之二是"为数甚多的年轻人"的阅读对象的浅薄与阅读方式的粗鄙。这些年轻人的阅读对象主要是报纸和流行文学；阅读方式是不花力气、不下功夫，满足于"适口""刺激性"。针对这种阅读现状，作者同样给予否定——这"是学不会真正意义上的阅读的"。

这两个现状反映出"为数甚多的年轻人"的价值追求——贪图享乐（特别是贪图物欲享乐）。这种生活观念令作者痛心，因此，他写了这篇文章。

文章的标题中有三个重要概念，一是"读书"，二是"目的"，三是"前提"。

文中所说的"读书"这个重要概念的内涵是"研读世界文学"，"逐渐地熟悉掌握各国作家和思想家的作品，尤其是他们在作品中留给我们的思想、经验和理想的巨大财富"。从作者表述的书籍的内涵看，作者所说的"世界文学"，不仅是指狭义的小说、诗歌、戏剧，还包括思想家的作品，后文列举的《道德经》《论语》《孟子》等就属于思想家的作品，因此，文中所说的"读书"的内涵是指“研读世界文化经典”。

聚焦“目的”这个论题，作者分两个“目的”层级进行讨论，一是讨论“提升修养的目的”，二是讨论“读书的目的”。

讨论“提升修养的目的”，作者分两个层次进行论述。

在第一个层次中，作者先论述“提升修养”这件事的特性——“本身便有意义”。作者再论述“提升修养”两个可能的目的，一是“朝向某些狭隘目标的艰难跋涉”，二是“我们自我意识的增强和扩展，从而使我们生活更加丰富多彩，享受更多更大的幸福”，作者用一个“并非是……而是……”的并列复句将这两个观点连缀起来，通过这个并列复句前后的对照，否定前一个观点，肯定后一个观点，强调了提升修养的目的是“我们自我意识的增强和扩展，从而使我们生活更加丰富多彩，享受更多更大的幸福”。

在第二个层次中，作者同样先论述“提升修养”这件事的特性——“既是完成同时又是激励，随处都可到达终点却又从不停歇，永远都在半道上，与宇宙共振，于永恒中生存”。作者再论述“提升修养”两个可能的目的，一是“提高这种或那种能力和本领”，二是“帮助我们找到生活的意义，正确认识过去，以大无畏的精神迎接未来”，作者同样用一个“不在于……而在于……”的前后对照的并列复句将这两个观点连缀起来，否定前者，肯定后者，强调提高修养的目的是“帮助我们找到生活的意义，正确认识过去，以大无畏的精神迎接未来”。

第一层次的内容与第二层次的内容之间可以视作种属关系，或视作抽象与具体的关系。作者用一组因果复句连缀了这两层内容，从抽象到具体，揭示了“提高修养”的特性，推导出“提高修养”的具体目的，可以表述为如下一组复句：

真正的修养本身便有意义。因此，提高真正的修养，既是完成同时又是激励，随处都可到达终点却又从不停歇，永远都在半道上，与宇宙共振，于永恒中生存。

提高修养不是朝向某些狭隘目标的艰难跋涉，而是我们自我意识的增强和扩展，从而使我们生活更加丰富多彩，享受更多更大的幸福。因此，它的目的不在于提高这种或那种能力和本领，而在于帮助我们找到生活的意义，正确认识过去，以大无畏的精神迎接未来。

讨论“读书的目的”，作者也分两个层次进行论述。

作者先论述读书的特性。他指出读书的道路永无止境，书籍浩如烟海，又指出“对每一部思想家或作家的杰作的深入理解，都会使你感到满足和幸福”，并阐释了原因——“不是因为获得了僵死的知识，而是有了鲜活的意识和理解”。他用一组转折复句与因果复句量连缀了这三层意思（因果关系中还嵌入一个并列复句“不是……而是……”）：

虽然这条路永无止境，任何人也不可能在什么时候走到尽头；任何人也不可能在什么时候将哪怕仅仅只是一个文化发达民族的全部文学通通读完，更别提整个人类的文学了。然而，对每一部思想家或作家的杰作的深入理解，都会使你感到满足和幸福——不是因为获得了僵死的知识，而是因为有了鲜活的意识和理解。

作者通过这组复句揭示了读书这件事的特性——“对每一部思想家或作家的杰作的深入理解，都会使你感到满足和幸福”。

作者再论述读书的两个目的，分别是“尽可能地多读、多知道”和“自由地选择我们个人闲暇时能完全沉浸其中的杰作，领略人类所思、所求的广阔和丰盈，从而在自己与整个人类之间，建立起息息相通的生动联系，使自己的心脏随着人类心脏的跳动而跳动”，作者又一次用“不在于……而在于……”的前后对照的并列复句连缀两个观点，否定前者，肯定后者，强调读书的目的在于“自由地选择我们个人闲暇时能完全沉浸其中的杰作，领略人类所思、所求的广阔和丰盈，从而在自己与整个人类之间，建立起息息相通的生动联系，使自己的心脏随着人类心脏的跳动而跳动”。

读书是提高修养的最重要的路径之一。“读书的特性”从属于“提高修养的特性”，“读书的目的”从属于“提高修养的目的”。因此，第一段与第二段之间可以构成因果关系：

真正的修养本身便有意义。因此，提高真正的修养，既是完成同时又是激励，随处都可到达终点却又从不停歇，永远都在半道上，与宇宙共振，于永恒中生存。

因为，提高真正的修养，既是完成同时又是激励，随处都可到达终点却又从不停歇，永远都在半道上，与宇宙共振，于永恒中生存。又因为，读书是提高修养的最重要的路径之一，且每读一部杰作都会有鲜活的意识和理解。所以，对每一部思想家或作家的杰作的深入理解，都会使你感到满足和幸福。

提高修养不是朝向某些狭隘目标的艰难跋涉，而是我们自我意识的增强和扩展，从而使我们生活更加丰富多彩，享受更多更大的幸福。因此，它的目的不在于提高这种或那种能力和本领，而在于帮助我们找到生活的意义，正确认识过去，以大无畏的精神迎接未来。

因为提高修养的目的不在于提高或这种那种能力和本领，而在于帮助我们找到生活的意义，正确认识过去，以大无畏的精神迎接未来。又因为，读书是提高修养的最重要的路径之一。所以，读书的目的在于自由地选择我们个人闲暇时能完全沉浸其中的杰作，领略人类所思、所求的广阔和丰盈，从而在自己与整个人类之间，建立起息息相通的生动联系，使自己的心脏随着人类心脏的跳动而跳动。

“读书”这个论题从属于“提高修养”这个论题，如果将“提高修养”这个论题视作一个集合，“读书”这个论题是它的子集。作者是以更大范畴的结论为前提，推导出其子集的结论，最终指出读书的目的。如果对作者的论述思路进行逆向推演，那么可以表述为如下一组长句：

读书的目的是领略人类所思、所求的广阔和丰盈，从而在自己与整个人类之间，建立起息息相通的生动联系，使自己的心脏随着人类心脏的跳动而跳动，是帮助我们找到生活的意义，正确认识过去，以大无畏的精神迎接未来，最终是我们自我意识的增强和扩展，从而使我们生活更加丰富多彩，享受更多更大的幸福。

作者在此基础上再将“读书”的内涵进一步扩大，从“研读世界文化经典”扩大到“阅读所有的书”，又用了两组“不是……而是……”的前后对照的并列复句，指出读书的目的是“集中心智”，“帮助我们将自己的人生变得越来越充实、高尚，越来越有意义”。

作者在第一、二段中，用了六组前后对照的并列复句，前两组强调了提高修养的目的，后四组强调了读书的目的。在这六组前后对照的并列复句中，作者否定了六种追求，分别是“朝向某些狭隘目标”，“提高这种或那种能力和本领”，“获得了僵死的知识”，“尽可能地多读、多知道”，“要使我们‘散心消遣’”，“要用虚假的慰藉来麻痹我们，使我们对无意义的人生视而不见”，这些分句往往表示一种功利的生活态度或读书态度，其背后的驱动力往往是当下不少人的价值追求——贪图享乐（特别是贪图物欲享乐）。这正是作者要批评的现状。在这六组前后对照的并列复句中，作者肯定了六种追求。作者将否定的六种追求与肯定的六种追求一对一对地并置在一起，构成强烈的冲突，强化了他的正面主张，再用或显或隐的因果复句连缀这些正面的主张，最终推导出作者认为正确的读书目的——为了“我们自我意识的增强和扩展，从而使我们的生活更加丰富多彩，享受更多更大的幸福”。这是作者在这一部分的主要观点。

第一、二段的语言是富有张力的，也是严谨的。在这富有张力且严谨的语言中，不断凸显的是作者的生活观念——活着“不仅仅为着满足那些赤裸裸的需要”，更是为了“我们自我意识的增强和扩展，从而使我们生活更加丰富多彩，享受更多更大的幸福”。

聚焦“前提”这个论题，作者否定了三种阅读方式，分别是“遵循任何的模式或者教学大纲”，“走一条”“义务之路”，“仅仅因为某部作品有名，因为羞于不了解它就强迫自己去阅读”；作者肯定了三种阅读方式，分别是“认识自己，进而认识那些特别能引起共鸣的作品”，“走一条爱之路”，“每个人都该在他感觉最自然的地方，开始对书籍的阅读、了解和喜爱”。这就构成了三组对应的冲突。作者先用两个前后对照的并列复句连缀前两组冲突，再用一组转折复句连缀第三组冲突，强化了自己的正面主张。作者又从正面具体阐述了不同的人会有不同的阅读爱好，再从反面阐述了勉为其难的阅读会造成的恶果。作者通过三种阅读方式的对比与相关的具体阐述，引出他在这部分的主要观点——读书的前提是认识自己，进而认识那些特别能引起共鸣的作品，以此为出发点，然后再扩而大之，走一条爱之路。

从时间意义上看，若将“读书”置于中间，那么“前提”在前，“目的”在后。而从逻辑意义上看，“前提”是手段，目的决定手段，手段服务于目的，因此，作者将“读书”作为中心论题，先基于自己的价值追求（生活观念）向后推演出“读书的目的”，再从“读书的目的”出发向前逆推出“读书的前提”。通过这样的逻辑推演，最终建构起文章的核心观点——读书是为了“我们自我意识的增强和扩展，从而使我们生活更加丰富多彩，享受更多更大的幸福”，因此，读书要认识自己，进而认识那些特别能引起共鸣的作品，以此为出发点，然后再扩而大之，走一条爱之路。

而这个观点的两层意思又分别是对两个现状的纠偏。

作者还写了自己读书的往事，一段是少年时，在祖父巨大的藏书室里的阅读经历，一段是几十年来阅读中国典籍的经历。而作者书写这两段阅读经历又各有侧重。

写少年时的阅读经历中呈现出两次波折。第一次波折是少年时的作者原先对数以千计的卷帙不太感兴趣，而当他发现《鲁滨逊漂流记》《一千零一夜》后，便产生了阅读兴趣，而这种阅读兴趣又促使他将“这显得如此无聊的藏书整个翻了一遍，并且终于发掘到自己感兴趣的东西”。作者用两个转折复句呈现了这个波折的阅读历程，用“在灰色的大海里也可以捞到珍珠”为喻写出了对这段阅读经历的感悟——阅读兴趣会驱使自己不断地阅读更多的书，甚至在原先觉得索然寡味的书堆中发现自己的珍爱。第二次波折是少年时的作者不喜欢巴尔扎克的某部作品，弃之不读，但是若干年后，他却重新发现了这部作品的价值，并与这部作品产生了共鸣。作者详尽地描述了少年时自己的阅读期待与书中内容之间的落差，反映了当时自己的认知能力、阅读趣味与名著之间的距离；用许多年后自己“认认真真的发现”“一劳永逸的发现”暗示自己认知能力与阅读趣味的提升，与这本名著产生了共鸣。借助这样的对比，作者揭示了自己对这段阅读经历的感悟——没有阅读兴趣的书，可以先搁置一边，随着能力与趣味的提升，也许将来会与之形成共鸣。

这两段对阅读经历的感悟分别阐释了前文作者的两个观点，一是“每个人都该在他感觉最自然的地方，开始对书籍的阅读、了解和喜爱……让每个人凭自己的爱好去开始阅读，读一部文学作品或者一首诗，或者一则报道、一篇论文，以此为出发点，然后再扩而大之”，二是“仅仅因为某部作品有名，因为羞于不了解它就强迫自己去阅读，实乃大错而特错……一本别人称赞而我们也试图阅读却引不起兴趣的作品，一本令我们反感、无法读进去的作品，千万别强迫自己耐着性子硬往下读，应该干脆放弃”。

这两段阅读感悟的相似之处在于都强调了阅读兴趣是驱使自己阅读的动力，阅读兴趣会促使自己的阅读范围扩而大之，差异在于后者还生发了一层新的意思——随着阅读认知能力与趣味的提升，阅读的视野自然会相应地扩大，阅读对象的难度自然会相应提升，因此，在阅读的每个阶段都要先认识自己，再认识那些特别能引起自己共鸣的作品，循序渐进，拾级而上。

写几十年来阅读中国典籍的经历，作者侧重表现了三层意思：一是卫礼贤等德国学者翻译中国典籍的业绩及其对“当今德国精神生活”的意义，特别是对作者的意义——为作者打开了通向东方古老文化的大门；二是作者初读《论语》时的惊异与心驰神往；三是几十年来持续阅读中国典籍的感悟。其间，还将印度思想与中国传统文化思想做比较，呈现出两种思想的异同，传递出作者对东方古老文化的喜爱与向往。这三层意思整合在一起，勾画出作者领略东方古老文化的心路历程，回应了前文的观点——读书的目的“在于自由地选择我们个人闲暇时能完全沉浸其中的杰作，领略人类所思、所求的广阔和丰盈，从而在自己与整个人类之间，建立起息息相通的生动联系，使自己的心脏随着人类心脏的跳动而跳动”。

这两段经历又是作者抉择的结果。起先他也想广泛涉猎，也“认为了解和懂得某些生疏的事物乃是自己的责任”，试图走一条“义务之路”，结果发现不合自己的天性，换走了一条富有个性的“爱之路”。两段经历组合在一起勾画了作者的阅读历程，呈现出一定的递进关系：作者的阅读兴趣越来越浓，阅读的视野越来越宽，阅读的书籍的层次越来越高，自身的意识不断增强和扩展，享受到的幸福越来越多。这两段经历也具体阐释了前文所说的“读书的目的”与“读书的前提”。

论述部分侧重于理性的阐述，叙述部分侧重于形象的阐释，两个部分互为印证，最终阐明了文章的核心观点，也向当时的许多年轻人提出忠告，希望这些人能树立更好的生活观念，认识自己的价值，寻得合适的杰作，多阅读，多思考，不断完善自己的精神和心灵，使自己的生活更加丰富多彩，享受更多更大的幸福。

直击时弊　以身作则

——解读《反对党八股（节选）》

《反对党八股》是作者于1942年2月8日在延安干部会上的讲话，课文是对这篇讲话稿的节选。这篇讲话稿（指节选，下同）批判了党内的文风问题，声讨了文风问题中隐藏的政风问题，直击时弊。这篇讲话稿提出了改进文风的要求，而讲话稿本身的文风与文中改进文风的主张完全吻合，可见作者以身作则。

解读这篇讲话稿的核心问题是：作者的写作意图是什么？要解决这个核心问题，需要思考如下一些下位问题：

1. 作者的核心观点是什么？

1.1　作者针对哪些现状发表议论？

1.2　造成这些现状的原因是什么？

1.3　作者的正面主张是什么？

2. 作者在这篇讲话稿中为什么选择这种文风？

2.1　作者观点中预设的理论前提是什么？

2.2　作者的行文结构有怎样的特点？

2.3　作者的语言风格有怎样的特点？

2.4　为了说服听众，作者用了哪些言说策略？

2.5　作者选择这种文风的意图是什么？

要提炼全文的核心观点，前提是提炼每个部分的观点以及梳理这些观点之间的逻辑关系，而要提炼每个部分的观点，前提是概括作者的论述所针对的现状、作者对现状的归因分析以及作者的正面主张。

这篇讲话稿开宗明义，罗列了党八股的八条罪状，着重抨击了前六条罪状，逐一分析其坏处。

第一条罪状是"空话连篇，言之无物"。这部分的论题是"篇幅与内容"。篇幅有长与短，内容有空与实。这就形成四种组合：长而空，短而空，长而实，短而实。作者的论述分五个层次。第一层次是"我们有些同志喜欢写长文章……可是怎么敢看呢"。作者的论述所针对的是"长而空"，他对这种文风的评价是"懒婆娘的裹脚，又长又臭"，指出造成这种文风的原因是脱离群众，欺负幼稚的人。作者以斯大林的文稿为榜样，又结合中国共产党面对的时代背景，提出正确的文风——"短而实"，用两个转折复句陈述了前方打仗、后方忙的时候写"长而空"的文章所造成的恶果——没人愿意看、没人敢看。第二层次是"长而空不好，短而空就好吗？也不好"，作者直接否定了"短而空"。第三层次是"我们应当禁绝一切空话。但是主要的和首先的任务，是把那些又长又臭的懒婆娘的裹脚，赶快扔到垃圾桶里去"，作者强调"我们应当禁绝一切空话"，首要任务是破除"长而空"。这部分的正面主张是：战争时期，文章应该写得"短而实"。第四层次是"或者有人要说……文章和演说也是这样"，作者以具体情况具体分析的思维方式批驳了反面的质疑，申明了应该如何看待篇幅与内容的关系，指出评价一篇文章的首要指标是内容要实。第五层次是"我们反对的是空话连篇言之无物的八股调……是必须停止的"，作者进一步提出正面主张——写文章要言之有物。

第一层次与第二层次是并列关系，分别批驳"长而空"与"短而空"，前者详，后者略。第三层次是第一层次与第二层次的小结，提出第一个正面主张——战争时期，文章要"短而实"。第四层次是对反面意见的批驳，肯定了"长而实"。第三层次与第四层次是并列关系，将"短而实"与"长而实"并置，这两个层次论述的交集是评价文章的首要指标是内容要实。由此推导出这部分的主要观点是：战争时期，需要有内容的文章。

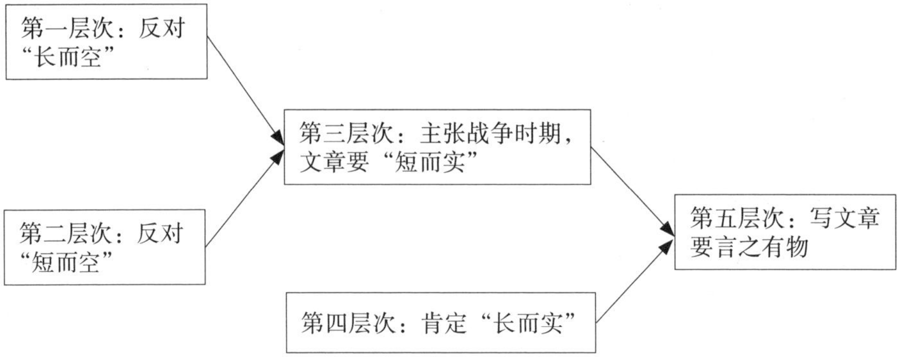

抨击第一条罪状的五个层次关系图

借助语言的重组，这部分的论述思路可以表述为如下一组复句：

我们有些同志欢喜写长文章，但是没有什么内容，真是“懒婆娘的裹脚，又长又臭”，因为他们就是下决心不要群众看。因为长而且空，群众见了就摇头，不肯看下去，他们只好去欺负幼稚的人，在他们中间散布坏影响，造成坏习惯。虽然延安还没有战争，但军队天天在前方打仗，后方也唤工作忙，文章太长了，没人愿意看；虽然有些同志在前方辛辛苦苦地写了长报告，送来了，其目的是要我们看的，但是没人敢看：现在是在战争的时期，我们应该研究一下文章怎样写得短些，写得精粹些。

短而空也不好。

因为长而空不好，短而空也不好，所以我们应当禁绝一切空话，但是主要的和首先的任务是反对“长而空”。

无论做什么事都要看情形办理，文章和演说也是这样，我们认同长而实的文章。

因为我们主张“战争时期，文章要‘短而实’”，又因为我们认同“长而实”的文章，所以，写文章要言之有物。

第二条罪状是“装腔作势，借以吓人”。这部分的论题是“内容”。这部分可分为六个层次。第一层次是“有些党八股……简直是无赖了”，用两个递进复句，将“空话连篇”与“装腔作势”比较，从实质与结果两个方面揭示“装腔作势”的坏处。“有些党八股，不只是空话连篇，而且装样子故意吓人，这里面包含着很坏的毒素”，这揭示了“装腔作势”的实质，是第一个判断；“空话连篇，言之无物，还可以说是幼稚；装腔作势，借以吓人，则不但是幼稚，简直是无赖了”，这揭示了“装腔作势”的恶果，是第二个判断。第二层次是“鲁迅曾经批评过这种人……它只是老老实实地说下去和做下去”，通过“科学的东西”与“主观主义和宗派主义的东西”的对比揭露了“装腔作势”“包含着很坏的毒素”——“装腔作势”的实质是“主观主义和宗派主义”。第三层次是“从前许多同志的文章和演说里面……对同志只有损害”，通过一组因果推理与一组转折对比，指出了“装腔作势”的“恶果”。第四层次是“这种吓人战术……靠科学吃饭”，通过“剥削阶级以及流氓无产者”使用的手段与“无产阶级”的对比，突出无产阶级的战斗武器——马克思列宁主义的真理（包括实事求是、科学）。第五层次是“至于以装腔作势来达到名誉和地位的目的，那更是卑劣的念头，不待说的了”，指出了“装腔作势”更卑劣的目的。第六层次是“总之，任何机关做决定……其他都是无益的”，揭示了正面主张——应用马克思列宁主义的真理作为内容的理论前提。

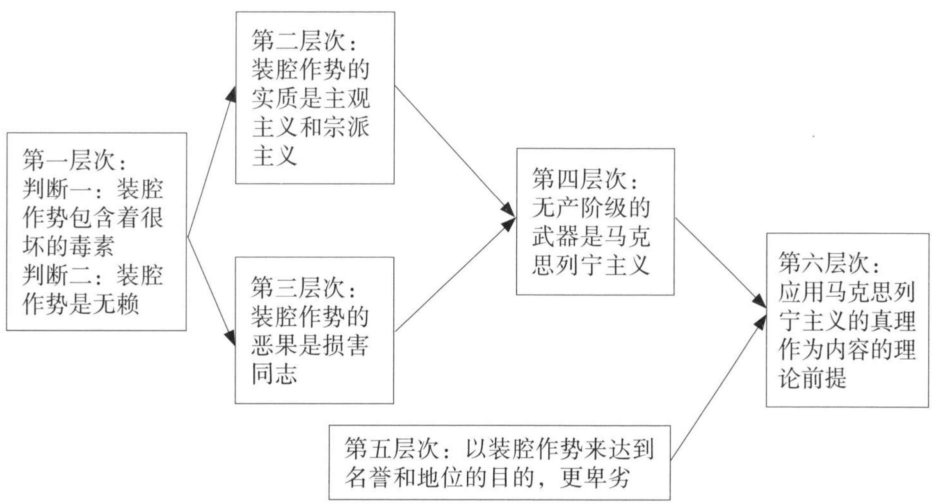

抨击第二条罪状的六个层次关系图

第一层次有两个判断，这两个判断是第二、三层次的总领。第二层次紧承第一层次的第一个判断，从内容实质方面强调了“装腔作势”是妨害真理的，第二层次与第一层次的第一个判断之间构成了因果关系；第三层次紧承第一层次的第二个判断，从结果方面强调了“装腔作势”对同志的损害，第三层次与第一层次的第二个判断之间构成了因果关系。第二、三层次分别以因果论证的方式阐释了第一层次两个判断的内涵。第四层次是第二、三层次的小结，凸显了无产阶级应有的战斗武器是马克思列宁主义。第五层次与第一至四层次构成递进关系，揭示了“装腔作势”更卑劣的目的——达到名誉和地位的目的。第六层次总结这个部分，提出主要观点——应用马克思列宁主义的真理作为内容的理论前提。

借助语言的重组，这部分的论述思路可以表述为如下一组复句：

有些党八股，不只是空话连篇，而且装样子故意吓人，这里面包含着很坏的毒素。

空话连篇，言之无物，还可以说是幼稚；装腔作势，借以吓人，则不但是幼稚，简直是无赖了。

因为科学是真理，决不怕人家驳，所以科学的东西，随便什么时候都是不怕人家批评的。因为科学的东西，随便什么时候都是不怕人家批评的，所以凡真理都不装样子吓人，它只是老老实实地说下去和做下去。但是主观主义和宗派主义的东西，表现在党八股式的文章和演说里面，却生怕人家驳，非常胆怯，所以就靠装样子吓人，以为这一吓，人家就会闭口，自己就可以“得胜回朝”了，这种装腔作势的东西，不能反映真理，而是妨害真理的。因为这种装腔作势的东西，不能反映真理，而是妨害真理的，所以有些党八股里面包含着很坏的毒素。（第二层次与第一层次的第一个判断构成因果关系）

虽然对于敌人，毫无疑义地是应该采用残酷斗争或无情打击的手段的，但是对于偶然犯错误的同志，就须使用批评和自我批评的方法。之所以从前我们那些同志向这些同志也大讲其“残酷斗争”和“无情打击”，是因为一方面是没有分析对象，一方面就是为着装腔作势，借以吓人。之所以无论对什么人，装腔作势借以吓人的方法，都是要不得的，是因为这种吓人战术，对敌人是毫无用处，对同志只有损害。因为无论对什么人，装腔作势借以吓人的方法，都是要不得的，所以装腔作势不但是幼稚，简直是无赖了。（第三层次与第一层次的第二个判断构成因果关系）

这种吓人战术，是剥削阶级以及流氓无产者所惯用的手段，但是无产阶级不需要这类手段，无产阶级的武器是马克思列宁主义的真理。

有些党八股里面包含着很坏的毒素，简直无赖，至于以装腔作势来达到名誉和地位的目的，那更是卑劣的念头。

总之，应用马克思列宁主义的真理作为内容的理论前提。

第三条罪状是“无的放矢，不看对象”。这部分的论题是“写作对象意识”。这部分可分为三个层次。第一层次列举了一个宣传用古字的事例，以一个转折复句与因果复句的组合批评这种脱离群众的宣传工作。第二层次用一个充分条件复句，强调了党的宣传必须有对象意识，再用一个转折复句与因果复句的组合指出党八股自以为贴近读者实则脱离读者的现象。第三层次是连用三个类比，用射箭、弹琴、做朋友类比写文章、做演说，推导出结论——做宣传工作的人，对于自己的宣传对象必须有调查、研究、分析。

第一层次是列举典型事例，第二层次是在典型事例中抽象出现状中普遍性的问题与应然的做法，第三层次是用类比阐释应然做法的合理性，进而推导出结论，可以表述为如下一组复句：

这位同志是古代文人学士的学生是无疑的了，可是他却要写在抗日时期延安这地方的墙壁上，就有些莫名其妙了，大概因为他也是发誓不要老百姓看。

如果共产党员真想做宣传，就要看对象。许多人常常以为自己写的讲的人家都看得很懂，听得很懂，但是其实完全不是那么一回事，因为他写的和讲的是党八股，人家不会懂。

射箭要看靶子，弹琴要看听众，做朋友要懂得彼此的心，由此观之，写文章、做演说要看读者、听众，做宣传工作要调查、研究、分析宣传对象。

第四条罪状是“语言无味，像个瘪三”。这部分的论题是“语言”。这部分可分为三个层次。第一层次揭示了党八股语言的外显形式——“总是那几个名词”，“一套‘学生腔’”，“没有一点生动活泼的语言”，以“瘪三”这个喻体呈现这种语言的特征——干瘪、难看，再强调革命者的宗旨及基于这种宗旨对待语言的应然态度——为了群众办事必须学习群众的语言，最后用一个隐含的转折复句揭示了许多宣传同志存在的现实问题。第二层次用一个因果倒装的设问句强调要用很大力气学习语言，再以这个观点为统摄分述了学习语言的三个对象——向人民群众学习语言、从外国语言中吸收我们所需要的成分、学习古人语言中有生命的东西，最后用一个隐含的转折复句第二次揭示现状问题——许多同志对于三种语言都不肯下苦功去学以及由此引发的恶果。第三层次用一个递进复句指出所有革命工作者都或多或少在做宣传工作，基于前文的主张加之革命工作的使命，推导出这部分的主要观点——“我们的同志都非学习语言不可”，要学习民间的、外国的、古人的语言中有用的东西。

第一层次是重要概念（党八股的语言）外延的描述与价值判断，指出革命者学习语言的重要性与现状之间的落差。第二层次针对这个落差提出学习语言的正面主张，而且限定了对外国语言与古人语言学习的范围——“我们所需要的成分”“有生命的东西”，再用一个隐含的转折复句第二次批评了现状。第三层次指出革命者的工作性质，结合第二层次的正面主张，推导出这部分的结论。这部分的思路可以表述为如下一组复句：

如果一篇文章，一个演说，颠来倒去，总是那几个名词，一套“学生腔”，没有一点生动活泼的语言，这是语言无味，面目可憎，像个瘪三。我们是革命党，是为群众办事的，如果也不学群众的语言，那就办不好。但是现在我们有许多做宣传工作的同志，也不学语言。他们的宣传，乏味得很；他们的文章，就没有多少人欢喜看；他们的演说，也没有多少人欢喜听。

因为语言这东西，不是随便可以学好的，非下苦功不可，所以语言要学，并且要用很大的气力去学——要向人民群众学习语言、要从外国语言中吸收我们所需要的成分、要学习古人语言中有生命的东西。但是，现在中党八股毒太深的人，对于民间的、外国的、古人的语言中有用的东西，不肯下苦功去学，因此，群众就不欢迎他们枯燥无味的宣传，我们也不需要这样蹩脚的不中用的宣传家。

因为语言要学，并且要用很大的气力去学，又因为我们每个革命者都或多或少承担了宣传工作，所以我们的同志都非学习语言不可。

第五条罪状是“甲乙丙丁，开中药铺”。这部分的论题是“文章结构”。这部分可分为四个层次。第一层次是“你们去看一看中药铺……使我们开起中药铺来毫不费力”。作者以中药铺的抽屉为喻呈现党八股的行文结构——标题层级多。第二层次是“一篇文章充满了这些符号……而满足于甲乙丙丁的现象罗列”。作者先是指出这种行文结构背后没有真切的内容，接着用一个并列复句强调了其实质上的思想方法的错误——“对待问题的方法不对”，进而用两个倒装的因果复句揭示了否定这种思想方法的两个原因，一是它本质上是形式主义的方法，二是它误导更多人的思考方式。第三层次是“什么叫问题……就不是形式主义的方法所能济事”。作者先解释了“问题”的实质——事物的矛盾，再描述了解决问题应然的思考方法，其间，特意用了一组因果复句呈现了解决问题应有的思考程序，最后用一个充分条件复句呈现结论——解决问题正确的思考程序是四步：提出问题，分析问题，综合起来指明问题的性质，给以解决方法。第四层次用一组因果复句强调揭露党八股的结构问题的原因，用一组条件复句强化揭露这种错误思考方法的必要性——这是运用马克思主义的方法思考问题、办好事情、夺取革命胜利的必要条件。

第一层次是呈现党八股行文结构的特征。第二层次先是揭示语言的结构形式中隐含的内在问题——没有真切的内容，再指出没有真切内容的成因——形式主义的思想方法，由表及里，层层深入。第三层次与第二层次构成对比关系，说明应然的思考方法。第四层次指出反对这种结构形式的原因及必要性。这部分的思路可以表述为如下一组复句：

党八股的结构形式就像中药铺的抽屉，单单按照事物的外部标志，使用一大堆互相没有内部联系的概念，排列成一篇文章、一篇演说或一个报告。

一篇文章充满了这些符号，不提出问题，不分析问题，不解决问题，不表示赞成什么，反对什么，没有什么真切的内容。我不是说甲乙丙丁等字不能用，而是说那种对待问题的方法不对。之所以现在许多同志津津有味于这个开中药铺的方法，实在是一种最低级、最幼稚、最庸俗的方法，是因为这种方法就是形式主义的方法，是按照事物的外部标志来分类，不是按照事物的内部联系来分类的，是因为这种办法，他自己是在做概念的游戏，也会引导人家都做这类游戏，使人不用脑筋想问题，不去思考事物的本质，而满足于甲乙丙丁的现象罗列。

问题就是事物的矛盾。提出问题，首先就要对于问题即矛盾的两个基本方面加以大略的调查和研究，但还不能解决，因为还没有暴露事物的内部联系，因为还没有经过这种系统的周密的分析过程，因而问题的面貌还不明晰，还不能做综合工作，也就不能好好地解决问题。因此，一篇文章或一篇演说，如果是重要的带指导性质的，总得要提出一个什么问题，接着加以分析，然后综合起来，指明问题的性质，给以解决的办法。

因为这种幼稚的、低级的、庸俗的、不用脑筋的形式主义的方法，在我们党内很流行，所以必须揭破它。只有揭破它，才能使大家学会应用马克思主义的方法去观察问题、提出问题、分析问题和解决问题，我们所办的事才能办好，我们的革命事业才能胜利。

第六条罪状是“不负责任，到处害人”。这部分的论题是“写作态度”。这部分可分为两个层次。第一层次用一个并列复句指出前五个问题的成因之一是“不负责任”。第二层次用两个转折复句比较洗脸与写文章的不同态度所引发的结果，借助这个对比批评了不负责任的现象。这部分的思路可以表述如下：

上面所说的那些，一方面是由于幼稚而来，另一方面也是由于责任心不足而来的。

一个人偶然一天两天不洗脸，固然也不好，洗后脸上还留着一个两个黑点，固然也不雅观，但倒并没有什么大危险。写文章做演说是专为影响人的，我们的同志反而随随便便，这就叫做轻重倒置。这种责任心薄弱的坏习惯，必须改正才好。

八条罪状的前六条分别指向党八股的文风特点。第一、二条指向内容，这两条之间构成递进关系；第三条指向写作对象意识；第四条指向语言；第五条指向结构；第六条指向写作态度。文章的内容、写作对象意识、语言、结构、写作态度等问题的根本原因是错误的思想方法——主观主义和宗派主义，这种思想方法是违背马克思列宁主义的。党八股是“表”，主观主义和宗派主义是“里”，换而言之，文风问题是“表”，思想方法问题是“里”。八条罪状的后两条指向党八股的危害性，第七条指向党内，第八条指向党外，这两条之间又构成内部的递进性。结尾处，作者用一组递进复句再次重复了党八股的危害性，用一组假设复句指出采取“生动活泼新鲜有力的马克思列宁主义的文风”的必要性，再用一个转折复句强调这种文风亟待普遍发展，由此推导出全文的核心观点——我们“必须抛弃党八股”，必须普遍地发展“生动活泼新鲜有力的马克思列宁主义的文风”。

全文的论证思路可以表述为如下一组复句：

因为党八股里面包含着主观主义和宗派主义的毒素，所以党八股在内容方面不仅空话连篇，言之无物，而且装腔作势，借以吓人，不仅是幼稚，而且是无赖，所以党八股在写作对象意识上表现为无的放矢，不看对象，所以党八股在语言方面显得语言无味，像个瘪三，所以党八股在结构上呈现为甲乙丙丁，开中药铺，所以党八股在写作态度上显得不负责任，到处害人。

因为党八股在内容、写作对象意识、语言、结构、写作态度等方面存在如此多的问题，所以其危害是不仅流毒全党，妨害革命，而且传播出去，祸国殃民。

因为，党八股这个形式，不但不便于表现革命精神，而且非常容易使革命精神窒息。所以，要使革命精神获得发展，就必须抛弃党八股，采取生动活泼新鲜有力的马克思列宁主义的文风。这种文风，早已存在，但尚未充实，尚未得到普遍的发展。

叶圣陶先生曾说过：“文风是作风，也是思想风。”①“文风的健康与否，其实是国民精神状态的一种折光，从一个特异的角度，反映着政风、国风。”②作者的这篇讲话稿也正是从纠正文风问题入手试图纠正政风、党风、思想风。

从作者批判的文风可以逆推出作者对文风的正面主张：内容上应言之有物，在特定的战争时期，提倡“短而实”，应用马克思列宁主义的真理作为内容的理论前提；写作要有对象意识，做宣传工作的人对自己的宣传对象必须有调查、研究、分析；在语言方面，要学习民间的、外国的、古人的语言中有用的东西；行文思路上要体现马克思主义的思考方法，即观察问题、提出问题、分析问题和解决问题；写作态度要负责任。

这篇讲话稿的写作特点总结如下：

首先，作者表达观点的理论前提是马克思列宁主义的真理，特别是马列主义与中国革命实践相结合所形成的一些重要理论主张，如理论联系实际、具体情况具体分析、正确处理敌我两类不同的矛盾、重视调查研究、正确分析矛盾与解决矛盾、紧密依靠群众。

其次，这篇文章的行文结构很有特点。整体上是总分总的结构，第一段总领全文，开宗明义，明确抨击的方向，最后两段总结全文，提出中心论点，强调改进文风的必要性。主体部分分为七个段落，分别批判了党八股存在的八条罪状，八条罪状都置于每段段首的醒目位置，每条罪状都由两个四字句组成，字数整齐，纲举目张。整齐中又有变化。第二段九百余字，第四段九百余字，第五段一千余字，这三个段落篇幅接近；第一段六百余字，第三段近六百字，第六段四百余字，这三个段落篇幅接近；第七段罗列第七、八两条罪状，各八个字。主体部分七个段落的篇幅相差较大，尤其是第七段与第一至六段的篇幅

① 叶圣陶著《给初学写作者》，湖南教育出版社 2008 年版，第 136 页。
② 刘增人著《叶圣陶传》，东方出版社 2009 年版，第 289 页。

落差极大。

前六个部分重点展开。每个部分的行文思路基本都是先揭示现实文风中存在的问题（或现象），缘事而发，竖起靶子；然后分析这种问题（或现象）的谬误及成因，指出其引发的恶果，锋利切实，直击要害；最后提出正面的主张。这种结构与作者在讲话稿中倡导的“提出问题—分析问题—解决问题”的行文结构类似。这六个部分的行文思路符合杂文的结构特点，这六个片段就像六篇短小的杂文。整篇讲话稿紧扣“坏处”（罪状）这个关键点展开多角度攻击，条分缕析，层次清晰。整篇讲话稿就是一篇声讨党八股的檄文。

前六个部分论述了文风方面的五个论题：内容、写作对象意识、语言、结构、写作态度。作者每提出一个新的论题，都是先从生活中人们熟知的人、事、物谈起，依次列举了“懒婆娘的裹脚”“延安墙壁上标语中的怪字”“小瘪三”“中药铺的抽屉”“洗脸照镜子”，用这些内容，或是打比方，或是举例子，阐释现实中存在的问题，然后开展抽象的论述。这种行文思路是从具象的人、事、物逐步抽象到事理的讨论。前六个部分组合在一起，构成了从具象到抽象，再从新的具象到新的抽象，仿佛在“语言梯子”上移动，读者阅读时的认知负担也经历了一个不断地由轻到重的循环推进过程。

最后，作者的语言很有特点。多用民间的俗语、歇后语等，比如“懒婆娘的裹脚，又臭又长”“到什么山上唱什么歌”“看菜吃饭，量体裁衣”。多用打比方、类比，比如“射箭要看靶子，弹琴要看听众”“中药铺的抽屉”“洗脸照镜子”。面对不良现象，常用戏仿、反讽，比如“我们也仿照八股文章的笔法来一个‘八股’，以毒攻毒，就叫做八大罪状吧”，“要是我们的老爷写起来，那就不得了，起码得有几万字”，“以为这一吓，人家就会闭口，自己就可以‘得胜回朝’了”。说到党八股存在的问题，常用反问句，比如“哪里还肯看下去呢？”“有谁来看呢？”“可是怎么敢看呢？”“人家哪里会懂呢？”“写文章做演说倒可以不看读者不看听众吗？”“不知道彼此心里面想些什么东西，能够做成知心朋友吗？”“这岂不是语言无味，面目可憎，像个瘪三吗？”辛辣的嘲讽与有力的反诘，使文章的语言充满了战斗性。

为了说服听众，作者用了很多言说策略。

首先，路标鲜明。听讲话不同于看文章，听讲话没有反复听一段话的可能，同时，听众往往希望讲话者提供一些必要的提示，因此，讲话中往往需要设置一些语言路标（比如小标题，段首句，小结句，反复出现的高频词、高频句，设问），提示讲话内容的要点、层次转换等。作者就用八大罪状作为八个醒目的小标题，引出八段论述，每个小标题形象地指出文风中的一个问题，八个小标题的字数相等，八个段首语句法相似，便于理解和记忆。

其次，详略得当。凡是读者不了解的，需要着重阐述，凡是读者一望而知的，无须展开。这一点，作者做得很好。八大罪状的第二、四、五条所谈的文风问题，或需要从更深层次的思想方法层面来阐释，或需要条分缕析地介绍正确的做法，因此，作者所用的篇幅相对多一些。而“流毒全党，妨害革命”“传播出去，祸国殃民”这两条罪状，听众是一听就懂，因此作者不再赘述，这样裁剪完全符合听众的需求。

再者，具象与抽象的交替转换。一个局部论题的阐述若先从听众熟知的具体的人、事、物开始，就会减轻听众的认知负担，吸引听众的注意力，在此基础上，从具象往抽象逐步提升，也符合听众一般的认知规律。一个长篇讲话，内容若始终处于具象层面，听众认知负担过轻，缺乏认知挑战，终会丧失兴趣；内容若始终处于过高的抽象层面，听众的认知负担过重，太过紧张。因此，理想的情况是具象与抽象的交替转换。作者在这篇讲话稿的前六个片段之间就形成了这种结构特点，张弛有度。

最后，唤醒听众的已有经验。听众开始听讲话时，头脑中已拥有了从日常生活、学习中所获得的知识、经验、信念，这些会影响他对所听内容的理解。如果这些已有的知识、经验、信念在讲话者看来是准确的，而且讲话者在适当的时候激活它们，那么听众的已有经验就为获得讲话者所提供的新的知识、经验、信念奠定了坚实的基础。作者在这篇讲话稿中多次引用民间的俗语、歇后语，使用打比方、举例子，多处用听众熟悉的人、事、物类比抽象的事理，在必要的时候引用一些马列理论，重申共产党的宗旨、职责等，实则都是在唤醒听众已有的知识、经验、信念，帮助听众建构新的知识、经验、信念。

这些言说策略的成功运用，也在一定程度上反映了作者有强烈的读者意识。

当然，作者在写这篇讲话稿之前，也是做了一定的调查、研究，分析了现实文风中存在的问题，拟定了应然的做法。这篇课文是节选，节选部分之后的内容还提供了一些学习材料，引导全党同志在阅读学习材料的基础上学会正确的宣传方法，进一步转变文风。可以说，作者的写作态度是很负责任的。

作者这篇讲话稿在内容、结构、语言、写作对象意识、写作态度上与其主张的文风基本一致。这就是在文风上给每一位听众做表率。

这篇讲话稿的写作意图，从内容角度看，旨在号召全党同志抛弃党八股，普遍地发展“生动活泼新鲜有力的马克思列宁主义的文风”，从形式角度看，意在为全党同志提供一篇具有“生动活泼新鲜有力的马克思列宁主义的文风”的范文，可谓以身作则，身先垂范。

循循善诱　舍生取义
——《人应当坚持正义》

《人应当坚持正义》是一篇对话录，节选自《柏拉图对话集·格黎东篇》。对话的双方是苏格拉底和格黎东，对话的背景是公元前399年，雅典法庭以“不敬神明”和“蛊惑青年”的罪名判处苏格拉底死刑，判决执行前夕，苏格拉底的朋友格黎东潜入监狱，试图劝说他越狱逃跑。解读这篇作品的核心问题是：柏拉图为什么要撰写这篇对话录？解决这个核心问题的下位问题具体如下：

1. 苏格拉底如何说服格黎东放弃劝说自己越狱的努力？

1.1　苏格拉底的论述针对的是什么？

1.1.1　格黎东此行的目的是什么？

1.1.2　格黎东的主张是什么？

1.1.3　格黎东支撑自己主张的理由是什么？

1.2　苏格拉底预设的讨论（或研究、考察）前提是什么？

1.3　苏格拉底设定的讨论（或研究、考察）的方式是什么？

1.4　苏格拉底的讨论（或研究、考察）分几个部分？

1.5　苏格拉底在每个部分是如何推理的？结论是什么？

1.6　苏格拉底运用了哪些言说策略？

2. 柏拉图撰写的这篇对话录呈现了一个怎样的苏格拉底？

3. 柏拉图为什么要呈现这样一个苏格拉底？

格黎东此行的目的是救援苏格拉底。他的主张是两条，一是应当考虑关于正义、美、好及其反面的意见，二是要苏格拉底违背雅典人的意愿跑掉。格黎东支撑自己主张的理由是：第一，作为苏格拉底的朋友，他们不用花多少钱就能救其出狱，在这种情况下，即使苏格拉底是自己甘愿服从法律，但在不知情的外人来看，大多数人都会认为是他的朋友未尽心尽力解救他；第二，即使离开雅典，还有很多地方、很多朋友会欢迎苏格拉底的到来；第三，甘愿服刑的做法不仅伤害了朋友，满足了仇人，还遗弃了子女，未能尽到为人父母的责任。苏格拉底用三个词语概括了这三条理由，分别是"花钱""名誉""养家"。苏格拉底认为这些主张及理由"实际上都是众人的考虑"，而这些人在苏格拉底看来"可以轻易地置人于死地，也可以随随便便地使人复活，只要办得到就干，并不根据道理"。这些内容是苏格拉底的论述所针对的。

苏格拉底预设的讨论前提是他的处世原则及对待处世原则的态度。苏格拉底指出自己的处世原则是听从道理，而且他还强调唯正道是从的道德信念——"凡是经过研究见到无可非议的道理我就拳拳服膺"。他指出自己对待处世原则的态度是无论何种情况都要坚守正道。他用两句话反复强调了这种态度："我不但现在奉行，而且一贯遵守"，"我不能由于遇到灾难就把自己所讲过的道理抛开，我认为那些道理还跟过去一样真实，我仍旧跟过去一样重视它们，尊重它们"。

苏格拉底在整个讨论的起始部分就开宗明义地表述了自己的处世原则及对待处世原则的态度，并用一组因果复句与假设复句呈现了以预设前提处理格黎东主张的思考框架，可以表述如下：

因为我不但现在奉行，而且一贯遵守的原则是听从道理，凡是经过研究见到无可非议的道理我就拳拳服膺（处世原则），又因为我不能由于遇到灾难就把自己所讲过的道理抛开，我认为那些道理还跟过去一样真实，我仍旧跟过去一样重视它们，尊重它们（坚守处世原则的态度），所以如果我们在现在的情况下不能说出更强的道理来，我是肯定不会对你让步的，哪怕众人对我施加更大的恫吓，如同以妖怪吓儿童那样，声称要监禁、处死、没收财产等等，换言之，你对我的关怀如果合乎正道，那是非常可贵的；如果不合，那就越关心越难从命了（思考框架）。

苏格拉底重视运用一定的研究的方式来讨论问题，后文他特意强调“我虽然很愿意你把我说服，使我照你的意思办，却只能说服，不能勉强。现在请你看看我开始这一考察的方式是否令你满意”。因此，他在整个讨论的起始部分还抛出一个问题——“现在我们能够怎样研究最恰当呢”。针对格黎东的主张，基于前文的预设前提，苏格拉底提出了两个研究方法（或考察方法）。一是辨析提出的所有意见是否合乎道理——有些意见我们应该注意（合乎道理、正道），也有些意见我们应该不考虑（不合乎道理、正道）。二是考察道理在不同场景中的有效性及对待态度——是否在“我”被判死刑前（场景 1）这话说得对，到现在（场景 2）就显然成了空谈，无非是戏言和废话而已；是否有些道理在“我”被判死刑前（场景 1）是有效的，必须遵守，在“我”被判死刑后（场景 2）是失效的，应当放弃。

基于两个预设前提及其对应的研究方法（或考察方法），苏格拉底分两个阶段讨论格黎东的主张。第一阶段从“那些思想严谨的人”到“请你尽可能诚恳地回答我的问题”，这个阶段主要基于第一个预设前提——听从道理，并运用第一个研究方法——辨析提出的所有意见是否合乎道理，来处理格黎东的主张。这一阶段分两个部分：第一部分从“那些思想严谨的人”到“所以，你一起头的提法是不对的，你说我们应当考虑关于正义、美、好及其反面的意见”，这部分讨论格黎东的第一个主张——“我们应当考虑关于正义、美、好及其反面的意见”；第二部分从“也许可以说，众人是有权置我们于死命的”到“请你尽可能诚恳地回答我的问题”，这部分讨论格黎东的第二个主张——要苏格拉底违背雅典人的意愿跑掉，这部分兼带讨论了支撑格黎东主张的理由。第二阶段从“请告诉我：是不是我们在任何情况下都不能容许故意做不正当的事”到“不管人家对我们做的什么事”，这个阶段主要基于第二个预设前提——无论何种情况都要坚守正道，并运用第二个研究方法——考察道理在不同场景中的有效性及对待态度，来处理格黎东的主张。

在第一阶段，苏格拉底先讨论了格黎东一起头的提法。“你一起头的提法是不对的，你说我们应当考虑关于正义、美、好及其反面的意见。”从这句话可以推断出格黎东一起头的主张是“应当考虑关于正义、美、好及其反面的意见”，即他认为应当考虑的对象有两类，一类是“关于正义、美、好的意见”，另一类是“关于正义、美、好的反面意见”。这两类意见出自两类人，第一类意见是那些深知义和不义的人的说法（苏格拉底称之为“那一个内行的”“那一个深知道义和不义的人”），第二类意见是众人的说法。

针对格黎东主张应当考虑来自两类人的不同的意见，苏格拉底设定的讨论起点就是对待人群中不同意见的态度及判断标准。

对待人群中不同意见的态度：

那些思想严谨的人，曾经多次断言在人们的意见中间有些必须高度重视，有些不必理会。换言之，我们不必尊重人们的一切意见，有些意见要重视，有些就没有必要，也不必听从所有的人的意见，有些人的要听，有些人的不必听。

判断意见的标准：

我们应该重视好的意见，不管那些坏的意见。好的意见就是明白人的意见，坏的意见就是糊涂人的意见。——我们应该重视明白人提出的好的意见，不管糊涂人提出的坏的意见：判断意见的标准是意见的好坏（合乎道理）。

苏格拉底再虚拟了一个人物——一个从事体育锻炼并且以此为业的人，然后基于前文提及的处理意见的态度及判断标准演绎了这个人对待不同人群意见的应然抉择，以及放弃应然抉择导致的恶果。以此强调“我们应该重视明白人提出的好的意见，不管糊涂人提出的坏的意见”。

一个从事体育锻炼并且以此为业的人，应该听从一个人（医生或教练，主管或内行）的褒贬意见（即畏惧那一个人的责备，喜爱那一个人的赞美），应该照着那一个人的意思行动、锻炼、喝水、吃东西，不理会一般人的赞美、责备和看法（或众人之见，别人的想法）。

反之，他如果不服从那一个人（医生或教练，主管或内行），不理睬他的意见和赞许，而听从一般人（另外一些外行）的话，身体要遭到损害，就不能活了。

作者将这个虚拟的典型案例类推到正义和不正义、丑和美、好和坏这些事情上，指出在这类事情上的应然抉择以及放弃应然抉择导致的恶果，以此强调我们应当听从道理。苏格拉底在此处重申了自己的处世原则：

正义和不正义，丑和美，好和坏，在这些事情上，我们应当只听那一个内行的，对他毕恭毕敬胜，不应当听从众人的意见，对众人的意见诚惶诚恐。

反之，我们如果不听他的，就会损伤我们那个为道义所改善、为不义所毁灭的部分，我们就不能活得好了。

苏格拉底在推理的过程中还强调了自己的生命观：为道义所改善、为不义所毁灭的部分比身体贵重。这个表述与孟子的说法相似——“所欲有甚于生者，所恶有甚于死者”，故“舍生而取义者也”。

基于这样的生命观与处世原则（听从道理），作者推导出格黎东的主张存在错误，可以用一组因果复句表述苏格拉底的推理过程：

因为为道义所改善、为不义所毁灭的部分比身体贵重，又因为我们听从外行的意见会毁掉了我们那个为道义所改善、为不义所破坏的部分，所以，我们就不能听从众人对我们的说法，只能听从那一个深知道义和不义的人的说法，听从真理本身了。

因为我们不能听从众人对我们的说法，只能听从那一个深知道义和不义的人的说法，听从真理本身了，所以，你一起头的提法是不对的，你说我们应当考虑关于正义、美、好及其反面的意见。

格黎东的第二个主张是“要苏格拉底违背雅典人的意愿跑掉”。苏格拉底用一个转折复句表达了自己面对死亡的处境及自己的生命观——“众人是有权置我们于死命的”，“我们应当认为最重要的并不是活着，而是活得好”，“活得体面、正派”。“根据我们所同意的看法，我们首先应该研究一下，我试图未得雅典人同意释放便离开此地是不是正当”，此处提及的“我们所同意的看法”是指前文双方经过推理达成的共识——舍生取义的生命观与听从道理的处世原则。基于这样的生命观与前文反复强调的处世原则，苏格拉底再次推导出格黎东第二个主张也存在错误，可以表述为如下一组因果复句：

因为我们不能听从众人对我们的说法，只能听从那一个深知道义和不义的人的说法，听从真理本身了，又因为你向我提到的那些考虑，如花钱、名誉和养家等，格黎东啊，实际上都是众人的考虑，他们可以轻易地置人于死地，也可以随随便便地使人复活，只要办得到就干，并不根据道理，而我们则相反，我们是深受道理约束的，一定要像刚才说的那样，慎重考虑我们行事是否正当，如向那些愿意把我放跑的人花钱和致谢，以及自己把自己放跑和接受别人释放之类，要想想自己做这些事实际上是否不正当，如果看出自己这样做只能是不正当的，就不应当考虑自己如果留在这里静坐不动是否必定要死，是否必定要受其他的罪，只该考虑自己这样做不正当的问题，所以我不能未得雅典人同意释放便离开此地。

在这段推理过程中，苏格拉底指出了众人的处世原则与自己的处世原则的差异——“他们可以轻易地置人于死地，也可以随随便便地使人复活，只要办得到就干，并不根据道理。而我们则相反，我们是深受道理约束的，……如果看出自己这样做只能是不正当的，就不应当考虑自己如果留在这里静坐不动是否必定要死，是否必定要受其他的罪，只该考虑自己这样做不正当的问题”。如果省略这段处世原则的比较，以上的推理过程可以简化为如下的表述：

因为我们不能听从众人对我们的说法，只能听从那一个深知道义和不义的人的说法，听从真理本身了，又因为你向我提到的那些考虑，如花钱、名誉和养家等，格黎东啊，实际上都是众人的考虑，所以我不能未得雅典人同意释放便离开此地。

在第一阶段的讨论中，苏格拉底基于自己的生命观与处世原则，用“辨析提出的所有意见是否合乎道理”的研究方法考察了格黎东的两个主张及其理由，合乎逻辑地推导出他的主张的错误。

在第二阶段中，苏格拉底主要基于第二个预设前提——无论何种情况都要坚守正道，并运用第二个研究方法——考察道理在不同场景中的有效性及对待态度，来处理格黎东的主张。他一口气提出了九个问题。他先提出了两个问题——是不是我们在任何情况下都不能容许故意做不正当的事？是不是在某某情况下可做，在别的情况下不许做？他反复强调“在任何情况下”“在某某情况下”“在别的情况下”，借此考察“不能容许故意做不正当的事”这个道理在不同场景的有效性及对待态度。他再提出两个问题——是不是像我们以前曾经多次同意，而且现在刚刚说过的那样，在任何情况下做不正当的事都是既不好又不美的？是不是我们以前的那些主张在这几天里都已经全部推翻了？他又对举“以前”与“现在”(或“在这几天里”)，重申“在任何情况下”，借此考察“做不正当的事都是既不好又不美的”这个道理在不同场景的有效性及对待态度。他又提出两个问题——是不是我们说过的全都确定不移，不管人们是否同意？是不是我们必须承受一些比死刑更加重或者比较轻的刑罚？他列举了两个新的场景，一是面对众人的评论（特别是质疑），二是面对需要付出的代价（承受一些比死刑更加重或者比较轻的刑罚），借此进一步考察前面说过的道理在不同场景的有效性及对待态度。在这组考察之前，苏格拉底还用一个问句感慨了成年人不自觉地对自己严肃的交谈视同儿戏——“格黎东啊，我们这些上年纪的人是不是没有觉察到，我们的那些严肃的交谈并不比儿童高明？”苏格拉底最后用两个问句收束了前面的三组考察——“是不是做不正当的事在任何情况下对于做此事的人都不可避免地是邪恶的、可耻的？我们要不要这样说？”再次考察前文的道理在不同场景的有效性及对待态度，由此推导出结论——无论如何不能做不正当的事。

苏格拉底知道雅典人的判决是不正义的，面对格黎东针对这不正义的判决提出的“以坏报坏”，即文中所说的“那个人们所相信的以不正当报不正当”，苏格拉底从概念内涵的界定与概念之间关系的辨析上又追问了一组问题，考察了“根本不能做不正当的事”是否包含“那个人们所相信的以不正当报不正当也不行”，由此指出面对不正义的判决这一特定的场景，前文提出的道理（“不能容许故意做不正当的事”“做不正当的事都是既不好又不美的”）依然有效，依然要坚守，最终推出的结论是“既不能以坏报坏，也不能对人做不正当的事，不管人家对我们做的什么事”，也即“无论如何不能做不正当的事”。

苏格拉底在第二阶段基于自己对待处世原则的态度，用“考察道理在不同场景中的有效性及对待态度”的研究方法考察了格黎东的主张，特别是“以坏报坏”，再次合乎逻辑地推导出他的主张的错误，重申了自己坚守正道的原则。

正义的预设前提与严谨的逻辑推理是苏格拉底说服格黎东的重要因素。同时，苏格拉底为了说服格黎东还采用了一些言说策略。

首先，坚持客观理性的讨论态度。人的客观理性往往会受到情绪的支配与利益的干扰。而苏格拉底面对不正义的判决努力克制自己的情绪，置个人生死于度外，坚持用客观理性的讨论态度来对待各类问题，坚持基于逻辑的判断或推理。他的语气是平和的，除了对格黎东的称呼外，整个讨论过程没有出现过一个感叹句，没有出现过抒情的表达方式。他对格黎东也是这样的请求，他在讨论之初就强调“从人情上说，你并没有明天就要死掉的危险，你的判断不应该为那种局面所左右”，希望格黎东也摒弃情绪、功利的干扰，客观理性地讨论问题。过程中，他还不忘强调“如果我们在现在的情况下不能说出更强的道理来，我是肯定不会对你让步的”，“我希望和你一道弄明白”，“我们一块儿研究吧。要是你对我所说的话有异议，请提出反驳吧，我会听的……我虽然很愿意你把我说服，使我照你的意思办，却只能说服，不能勉强。现在请你看看我开始这一考察的方式是否令你满意，请你尽可能诚恳地回答我的问题”。当然，要求格黎东彻底摒弃情绪、功利的干扰，也是比较理想化的，从格黎东回答的语气的细微变化看，他的情绪是有一些细微的波动的。当苏格拉底提出的是非问题不涉及情感、功利时，特别是在讨论运动员这个虚拟例子的是非问答时，格黎东的回答是斩钉截铁的，比如“说得很对”“是的”“当然是”“很明显”“就是”“怎么不是呢”；当有些是非问题涉及情感、功利时，比如话题从虚拟的例子转向现实的关于正义的讨论，又如关于越狱的讨论，格黎东的回答虽然仍是合乎逻辑的正确判断，但是语气似乎缓和一些，比如“我想是这样，苏格拉底”，“我想你说得对，苏格拉底。你看我们该怎么办”。虽然格黎东的情绪有一些细微的波动，但他仍是在苏格拉底的引导下努力用客观理性的态度讨论问题。这就保证了整个讨论过程是一个纯粹的思辨过程，只关注是非对错，不关注利害得失。

其次，不断拉近情感距离。人毕竟是有情感的，因此，苏格拉底在坚持以客观理性的态度讨论问题的基础上，也注意不断强调与格黎东的友情。他在讨论过程中时常用亲切的称谓（或语气）称呼格黎东，如“亲爱的格黎东啊”“格黎东啊”“我最好的朋友啊”“我了不起的朋友啊”“我的好朋友啊”；他将格黎东的行为表述为“关怀”“关心”，肯定格黎东的营救行为的动机是善意的，是为自己着想：以此不断拉近彼此的情感距离，营造良好的讨论氛围。

再者，运用“产婆术”启迪格黎东对问题的思考。“产婆术”又称“理智助产术”“精神助产术”，是苏格拉底关于寻求普遍知识的方法。苏格拉底往往用问答的方式展开交谈，借助“提问—回答—反诘—修正—再提问”这一循环反复的过程，不断启发对方思考，不断揭示对方话语中自相矛盾之处，引导对方合乎逻辑地推导出正确的认识，引导对方逐步从个别的感性认识上升到普遍的理性认识，最终使双方达成共识。苏格拉底也采用了这种方法不断启发格黎东思考。苏格拉底设定的预设大前提是格黎东认同的，设定的逻辑推理过程是很严谨的。基于这两点，他在整个推理的逻辑链上经常将阶段性的观点转化为是非问句（偶尔也有选择问句），引导格黎东对这些是非问句做出判断。格黎东认同整个推理的预设大前提，也服膺整个推理逻辑的严密性，他不断地对这些是非问句给出合乎逻辑的正确判断，不断就这些阶段性的观点与苏格拉底达成共识，而他又在苏格拉底的引导下不断地将这些共识转化为新的预设前提，从而推导出新的共识，他不断地沿着这条逻辑链展开推演，最终推导出正确的结论，与苏格拉底达成最终的共识。因为格黎东是经过自己的思考做出了每一个阶段性的判断，所以格黎东对于最终的结论也就心悦诚服地接受了。

柏拉图撰写的这篇对话录与以往撰写的一些苏格拉底的对话录有一些差异。以往的对话录更多的是发生在一个安全、平和的环境中，这些对话录更像是一位长者在课堂上与青年学生展开学术讨论。而这篇对话录是发生在监狱这个场景中，是在一个存在风险的环境中的交谈，是一场极为私密的交谈，是一场关于生死抉择的交谈，是苏格拉底面对不正义的判决、面对死亡时对一个热心的救援者的劝说。这篇对话录更像一个独幕剧，富有戏剧性的张力。柏拉图撰写这样一篇特殊的对话录呈现了一个伟大的思想家苏格拉底——他在不正义的判决面前，在死亡面前，依然坚守正义，依然坚持用理性的态度与逻辑推理思考问题，依然坚持崇高的灵魂远胜于肉体生命。可以说，柏拉图笔下的苏格拉底散发着人性中崇高的光芒。柏拉图呈现这样一位伟大的思想先驱的形象，正是为了传递出他从老师苏格拉底那里继承的思想——坚守正义，坚持理性，追求完美的理念世界，拔擢人类的精神高度。

事理类说明文

抽丝剥茧　阐幽抉微

——解读《说“木叶”》

《说“木叶”》是一篇研究文学现象的论文。解读这篇文章的核心问题是：作者是如何阐释这个文学现象的？解决这个核心问题的下位问题具体如下：

作者列举了哪些材料？为什么列举这些材料？作者提炼出的文学现象是什么？作者提出的研究问题是什么？

作者从什么角度展开研究？作者的理论依据是什么？作者又列举了哪些材料？作者是如何推理（或阐释）的？他的结论是什么？

作者在全文引用了二十首古诗（多是片段），这些古诗多是关于“木叶”“树”“叶”“落木”的。他在文章第一部分（第一、二段）提出文学现象与研究问题，引用了十四首诗；在文章第二部分（第三至七段）展开论述，引用了六首诗。

作者在第一部分引用的十四首诗可以分为五组：第一组列举了屈原的《九歌》、谢庄的《月赋》、陆厥的《临江王节士歌》、王褒的《渡河北》；第二组列举了屈原的《橘颂》、淮南小山的《招隐士》、无名氏的古诗；第三组列举了萧纲的《折杨柳》、陶渊明的《拟古》；第四组列举了柳恽的《捣衣诗》、沈佺期的《古意》；第五组列举了杜甫的《登高》、庾信的《哀江南赋》、黄庭坚的《登快阁》。

作者在第一段梳理了第一组材料，提炼出一个文学创作的现象——屈原歌唱出的木叶的鲜明形象，影响了此后历代的诗人们，许多为人传诵的诗篇正是从这里得到了启发，“木叶”突出地成为诗人们笔下钟爱的形象。

作者在第二段借助材料的梳理提出四个不易为人发现的反常的文学创作现象，引发读者的认知冲突，提出需要研究的问题。作者首先指出第一个反常的文学创作现象——“木叶”与“树叶”的字面意思是一样的，但是古诗中却很少看见用“树叶”，提出了第一个需要研究的问题——我们在古代的诗歌中为什么很少看见用“树叶”呢？作者接着梳理了第二组材料，指出了第二个反常的文学创作现象——古诗中“树”是常见的，却很少看见用“树叶”，由此强化了第一个问题——为什么单单“树叶”就不常见了呢？随后，作者梳理了第三组材料，指出古诗中通常将“树叶”简称为“叶”，又梳理了第四组材料，指出诗人一遇见“木叶”就不考虑洗练，而是尽量争取通过“木叶”来写出流传人口的名句，再用转折复句将两者组合在一起揭示了第三个反常的文学创作现象——古诗中通常将“树叶”简称为“叶”，但是诗人一遇见“木叶”就不考虑洗练，而是尽量争取通过“木叶”来写出流传人口的名句，作者借助第三个反常的文学创作现象进一步强化了第一个问题——“树叶”为什么从来就无人过问呢？作者又梳理了第五组材料，指出了第四个反常的文学创作现象——自从屈原以惊人的天才发现了“木叶”的奥妙，此后的诗人们也就再不肯轻易把它放过，一用再用，熟能生巧，宁愿省去“叶”，也要保留“木”，由此抛出了第二个问题——为什么诗人们宁愿省掉“叶”而不肯放弃“木”？以上这些反常的文学创作现象及由此引出的问题，可以表述为如下一组转折复句：

“木叶”就是“树叶”，可是我们在古代的诗歌中为什么很少看见用“树叶”呢？

其实“树”倒是常见的，可是为什么单单“树叶”就不常见了呢？

一般的情况，大概遇见“树叶”的时候就都简称之为“叶”，可是一遇见“木叶”的时候，诗人们似乎都不再考虑文字洗练的问题，而是尽量争取通过“木叶”来写出流传人口的名句。“树叶”为什么从来就无人过问呢？

照我们平常的想法，“叶”字似乎就不应该省掉，然而天才的杜甫却宁愿省掉“木叶”之“叶”而不肯放弃“木叶”之“木”，这道理究竟是为什么呢？

作者列举的前三个反常的文学创作现象都指向第一个问题：我们在古代的诗歌中为什么很少看见用“树叶”？作者之所以要用三个反常的文学创作现象引出这一个问题，一方面是为了从不同角度引发读者的认知冲突，激发读者的探究欲望，另一方面也暗示了依照想当然的认知（比如古诗中“树”出现得少）和寻常的创作理论（比如语言的洗练）不能解释这个问题，必须另辟蹊径。作者列举的第二个问题是对第一个问题的延伸，即古诗中不仅常见“木叶”而很少看见“树叶”，而且诗人们还宁愿省掉“木叶”之“叶”而不肯放弃“木叶”之“木”，由此暗示了探讨这个反常的文学创作现象的成因是很有必要，且有学术价值的。在这个段落中，作者引用了四组材料分别来佐证自己的局部观点，其中特意引用了第四、五组材料，使之与第一组材料之间构成呼应关系，呈现出从“木叶”到“落木”的发展脉络，借此不仅佐证这一文学创作现象的普遍性，也进一步暗示了揭开这个反常的文学创作现象的成因是极有学术价值的。

作者针对前文的两个问题从第三段开始展开探讨，文章由此进入第二部分。他先辨析了“木叶”“树叶”“落叶”“落木”这四个关键词的构词差异，将研究点聚焦在“木”字的品析上。其次，转变研究的思路，放弃概念辨析的方法，从诗歌的形象思维这个角度寻求新的研究路径。作者的探讨分为两个阶段，第四、五段为第一阶段，第六段为第二阶段。

作者在第一阶段（第四段）先揭示了“木”字的应用场景——“自屈原开始把它准确地用在一个秋风叶落的季节之中，此后的诗人们无论谢庄、陆厥、柳恽、王褒、沈佺期、杜甫、黄庭坚，都以此在秋天的情景中取得鲜明的形象”，其次辨析“秋月照层岭，寒风扫高木”（吴均《答柳恽》）与“高树多悲风，海水扬其波”（曹植《野田黄雀行》）在意义上的差异，揭示了“木”的第一个艺术特征——“木”仿佛本身就含有一个落叶的因素。

作者如何证明“木”具有第一个艺术特征？他在第五段预设的理论是：语言的暗示性仿佛是概念的影子，常常躲在概念的背后，敏感而有修养的诗人们能认识语言形象中一切潜在的力量，把这些潜在的力量与概念中的意义交织组合起来，于是成为丰富多彩、一言难尽的言说。基于这个预设的理论，他针对“木”与“树”分别展开了两段推理。这两段推理可以表述为如下两组复句：

因为语言的暗示性仿佛是概念的影子，常常躲在概念的背后，敏感而有修养的诗人们能认识语言形象中一切潜在的力量，把这些潜在的力量与概念中的意义交织组合起来，于是成为丰富多彩、一言难尽的言说，又因为“木”作为“树”的概念的同时，却正是具有着一般“木头”“木料”“木板”等的影子，这潜在的形象常常影响着我们会更多地想起了树干，而很少会想到了叶子，所以“叶”常被排斥到“木”的疏朗的形象以外去。因为“叶”常被排斥到“木”的疏朗的形象以外去，所以“木”仿佛本身就含有一个落叶的因素，这正是“木”的第一个艺术特征。

因为语言的暗示性仿佛是概念的影子，常常躲在概念的背后，敏感而有修养的诗人们能认识语言形象中一切潜在的力量，把这些潜在的力量与概念中的意义交织组合起来，于是成为丰富多彩、一言难尽的言说，又因为“树”是具有繁茂的枝叶的，与“叶”都带有密密层层浓荫的联想，所以“树”与“叶”的形象之间不但不相排斥，而且是十分一致的。因为“树”与“叶”之间太多的一致，“树叶”也就不会比一个单独的“叶”字多带来一些什么，所以在习于用单音词的古典诗歌中，也就从来很少见“树叶”这个词了。

作者借助第二段推理对前文的第一个问题做出了解释；借助第一段推理部分地回答了前文的第二个问题，当然，此处所说的“木”的第一个艺术特征，也就是“木叶”的第一个艺术特征。

作者在第二阶段（第六段）继续借助预设的理论聚焦“木”的颜色（其实还有湿度）展开推理，推导出“木叶”的第二个艺术特征。这部分的推理可以表述为如下一组复句：

因为语言的暗示性仿佛是概念的影子，常常躲在概念的背后，敏感而有修养的诗人们能认识语言形象中一切潜在的力量，把这些潜在的力量与概念中的意义交织组合起来，于是成为丰富多彩、一言难尽的言说，又因为尽管在这里“木”是作为“树”这样一个特殊概念而出现的，而“木”的更为普遍的潜在的暗示——透着黄色而且干燥，却依然左右着这个形象，所以“木叶”就自然而然有了落叶的微黄与干燥之感，它带来了整个疏朗的清秋的气息。这正是“木叶”的第二个艺术特征。

作者在这段推理的基础上，还将屈原的“袅袅兮秋风，洞庭波兮木叶下”与曹植的“美女妖且闲，采桑歧路间。柔条纷冉冉，落叶何翩翩”、司空曙的“静夜四无邻，荒居旧业贫。雨中黄叶树，灯下白头人”分别做对比，借助前一组比较强化“木叶”的干燥，借助后一组比较强化“木叶”的微黄与干燥，进而指出“木叶”的清秋性格——“木叶”是属于风的而不是属于雨的，属于爽朗的晴空而不属于沉沉的阴天。

作者还辨析了“木叶”与“落叶”的差异，进一步推导出“木叶”的第二个艺术特征，可以表述为如下一组复句：

“落木”比“木叶”还更显得空阔，它连“叶”这一字所保留下的一点绵密之意也洗净了，但是“木叶”出现在那“袅袅秋风”之中，也仍然带着那袅袅不断的余情，所以“木叶”与“落木”又还有着一定的距离，“木叶”乃是“木”与“叶”的统一，疏朗与绵密的交织，一个迢远而情深的美丽的形象。这也是“木叶”的第二个艺术特征。

作者先基于预设的理论（暗示性）从颜色、湿度的角度开展推理，再辨析“木叶”与“落叶”的差异，从两个层次揭示了“木叶”的第二个艺术特征——“木叶”有了落叶的微黄与干燥之感，它带来了整个疏朗的清秋的气息，它是“木”与“叶”的统一，疏朗与绵密的交织，一个迢远而情深的美丽的形象。

作者在第三至七段，主要基于“暗示性”这个理论预设从“木叶”的形态、颜色、湿度等角度采用了演绎推理的方式，揭示了“木叶”的两个艺术特征，解释了前文提及的文学现象的成因。同时，作者在这一部分展开论述时，只引用了六首诗，主要是从形象思维层面分别辨析“木叶”与“落木”“高木”“春夏之交饱含着水分的繁密的叶子”“雨中黄叶”的细微差异，从具体形象的作品层面逐层深入地阐释了“木叶”的“飘零”“微黄”“干燥”“疏朗与绵密的交织”的特征，进一步形象化地阐释了前文提及的文学现象的成因。至此，作者推导出全文的结论——之所以我们在古诗中很少看见用“树叶”，是因为“树”与“叶”之间太多的一致，“树叶”也就不会比一个单独的“叶”字多带来一些什么，在习于用单音词的古典诗歌中自然删去了“树”字；之所以诗人们钟爱“木叶”，是因为“木叶”含有落叶的因素，有落叶的微黄与干燥之感，它带来了整个疏朗的清秋的气息，它是“木”与“叶”的统一，疏朗与绵密的交织，一个迢远而情深的美丽的形象。作者巧妙地引用了大量诗文，借助作品的辨析与理论的演绎，揭示了一字之差却几乎是一字千金的秘密，揭开了这个文学现象的成因。作者的整个阐释过程可谓抽丝剥茧、阐幽抉微。

先破后立　逐层推进

——解读《自然选择的证明》

在科学发展史上，如果旧有的理论或学说无法解释一些新的事物或现象，就会有一些科学家尝试建构新的假说。如果这些新的假说能很好地解释新的事物或现象，且经得起实践的检验，那么这些新的假说就会成为新的理论或学说。新的理论或学说代替旧有的理论或学说，这个过程就是一次科学的革命。达尔文提出的“进化论”就在生物学上掀起了一场科学的革命。关于物种的起源，在当时的西方占统治地位的学说是“特创论”(或称“神创论”)。随着科学的发展，“特创论”已无法解释很多新事物、新现象。而达尔文提出了“进化论”这一新的假说，为人类的生物学研究开辟了新的道路。从今天的视角看，“进化论”已经成为一百年来重要的生物学理论，而在当时它还是一个新生的假说，还面临着种种质疑与挑战。《自然选择的证明》就是论证这一新的假说的自然科学类学术论文。自然科学类学术论文的内容要素往往包括需要推翻的旧有学说、反对新假说的疑问与意见、新的事实和观点。这类学术论文往往需要借助新的事实和观点，论证旧有学说存在的问题，论证新的假说的可解释性、合理性等。因此，解读《自然选择的证明》一文需要思考的核心问题是：作者是如何证明自然选择这一假说的？解决这个核心问题的下位问题具体如下：

1. “特创论”的内涵是什么？
2. 反对自然选择这一假说的种种疑难问题和意见分别有哪些？作

者是如何反驳，又是如何答疑的？作者的反驳与答疑中形成了哪些观点？这些观点之间是什么关系？作者借助这些观点及观点之间的逻辑关系推导出的结论是什么？

3. 作者列举了哪些事实，提出了哪些观点？他如何论证“特创论”的谬误？他如何论证自然选择的合理性？

4. 作者的论证思路是怎样的？为什么采用这样的论证思路？

“特创论”是“神创论”的一种表现形态，这种学说认为地球上包括人类在内的各种生物都是上帝根据一定的目的在一定时期内创造的，它们一旦被创造出来就永恒不变，或只能在种的范围内变化。文中所涉及的“特殊创造行为”就是指“特创论”或“神创论”所认为的由一个主体意志创造出个别物种的行为。这篇学术论文就是要在批驳“特创论”的谬误的基础上证明自然选择的合理性。

这篇论文在第二段末有一个重要的过渡句：

我已经尽可能忠实地将反对这一学说的种种疑难问题和意见加以概要地综述，现在我将转而谈谈支持这一学说的各种具体事实和论点。

前一个分句小结前文第一、二段，后一个分句开启下文的论证。其中“疑难问题”和“意见”是解读第一、二段的切入点，“具体事实”和“论点”是解读第三至十四段的切入点。

在第一段中，作者指出反对自然选择学说的两个意见：第一个反对意见是“自然选择不曾发挥作用”；第二个意见是“在自然条件下，变异量仅局限在一个很小的范围内”。

针对第一个反对意见，作者的反驳是自然选择发挥了作用，提供的理由是“在自然状况下有变异发生”，作者还用了类比的方法阐释自己的理由，“我们可望在自然条件下看到生物的变异，如同它们在驯养情况下所发生的那样”，他支持自己理由的事实是“地质学清楚地揭示，各个大陆过去都曾经历过巨大的环境条件变迁”。

针对第二个反对意见，作者的反驳是这种反对意见“无法证实”。作者认为可以证实的是，在自然条件下变异量发生在一个很大的范围内。作者又一次用了类比的方法阐释他的理由：“物种中存在着个体差异”和“自然变种”，“它们相互之间的差别十分明显”，如同人们“可以将驯养生物个体的微小差异逐渐积累起来，并在一段不长的时期内产生巨大的效果”。作者支持自己理由的事实是“没有人能明确区分开个体差异和微小变异，也难以区分特征明显的变种和亚种，以及亚种和物种。在分离的大陆上，或在同一大陆被某种障碍所隔离的不同区域内，以及孤立的岛屿上，存在着如此多样的生物类型，它们被一些有经验的博物学家归为变种，或被另一些博物学家列为地理种或亚种，而另一些却将其列为亲缘很近、特征明显的物种”。

作者针对两个反对意见的两段论证过程可以呈现为如下两组转折复句与因果复句：

虽然有人认为自然选择不曾发挥作用，但是我认为自然选择发挥了作用，因为自然状况下有变异发生，换言之，我们可望在自然条件下看到生物的变异，如同它们在驯养情况下所发生的那样，因为地质学清楚地揭示，各个大陆过去都曾经历过巨大的环境条件变迁。

虽然常常有人主张，在自然条件下，变异量仅局限在一个很小的范围内，但这是无法证实的，我认为在自然条件下变异量发生在一个很大的范围内，因为物种中存在着个体差异和自然变种，它们相互之间的差别十分明显，如同人们可以将驯养生物个体的微小差异逐渐积累起来，并在一段不长的时期内产生巨大的效果，因为没有人能明确区分开个体差异和微小变异，也难以区分特征明显的变种和亚种，以及亚种和物种。在分离的大陆上，或在同一大陆被某种障碍所隔离的不同区域内，以及孤立的岛屿上，存在着如此多样的生物类型，它们被一些有经验的博物学家归为变种，或被另一些博物学家列为地理种或亚种，而另一些却将其列为亲缘很近、特征明显的物种。

作者借助第一段论证批驳了第一个反对意见，推导出第一个观点——自然选择的作用导致生物的变异发生。他借助第二段论证批驳了第二个反对意见，推导出第二个观点——自然选择的作用导致的生物变异发生过程是微小的、缓慢的，经过一段历史时期后会产生多样的生物类型。第二个观点在第一个观点的基础上进一步揭示了自然选择具有微小、缓慢的过程性特点，它在长时段后会产生巨大的效果。

在论文第二段的论述中，作者提出了反对自然选择学说的三个疑难问题，在第二个疑难问题中，作者第三次用到了类比方法。作者最终的回答是“没有任何东西可以限制这种缓慢的，并巧妙地使每一种生物类型都能适应最为错综复杂的生活条件的力量”。依据这个最终回答可以逆推出作者对这三个疑难问题的回应，这三个回应可以表述为如下三个陈述句：

如果动植物确有变异，不管这一变异是多么微小和缓慢，只要其变异或个体差异在某一方面有益于自身发展，它们会通过自然选择将其保存和积聚起来，即所谓最适者生存。

在复杂而多变的生活条件下，那些有利于自然界生物的变异经常产生，并通过自然选择得到保存或选择，如同人们能够耐心地选择有利于自己的变异。

那些在漫长的时间长河里起作用的，并严格审视每一个生物的全部体制、构造和生活习性的选择力量——即择优弃劣的力量，不会受到什么限制，换言之，没有任何东西可以限制这种缓慢的，并巧妙地使每一种生物类型都能适应最为错综复杂的生活条件的力量。

作者依托这三个回应揭示了第三个观点，即在复杂而多变的生活条件下，动植物会经常通过自然选择将有益于自身发展的变异保存和积聚起来，没有任何东西可以限制这种缓慢的，并巧妙地使每一种生物类型都能适应最为错综复杂的生活条件的力量。第三个观点在前两个观点的基础上进一步揭示了自然选择的特点——“适者生存”“择优弃劣”。

作者在第一段批驳了两个反对意见，在第二段回应了三个疑难问题。在批驳、回应的同时，他提出了自己的三个观点：

1. 自然选择的作用导致生物的变异发生。（变异）

2. 自然选择的作用导致生物的变异发生，而这个变异发生的过程是微小的、缓慢的，经过一段历史时期后会产生多样的生物类型。（微小、缓慢）

3. 自然选择的作用导致生物的变异发生，在复杂而多变的生活条件下，动植物会经常通过自然选择将有益于自身发展的变异保存和积聚起来，没有任何东西可以限制这种缓慢的，并巧妙地使每一种生物类型都能适应最为错综复杂的生活条件的力量。（优胜劣汰，适者生存）

这三个观点之间构成推进关系，逐层深入地阐释了自然选择学说的主张：自然选择的作用导致生物的变异发生，而这个变异发生过程是微小的、缓慢的，经过一段历史时期后会产生多样的生物类型，在复杂而多变的生活条件下，动植物会经常通过自然选择将有益于自身发展的变异保存和积聚起来，没有任何东西可以限制这种缓慢的，并巧妙地使每一种生物类型都能适应最为错综复杂的生活条件的力量。

作者从第三段开始讨论支持自然选择学说的各种事实和观点，展开相关的论证。

作者在第三段的结尾说道："假如承认每一物种都是独立创造出来的，上述关系就显得颇为奇怪而无法理解了。""上述关系"是哪些关系呢？首先是"由特殊创造行为而产生的物种"与"由次级法则所产生的变种"之间的关系；其次是"在某一地区内已经产生了归入同一属内的许多物种"与"这些物种现在仍很繁盛，仍会有那么多的变种存在"之间的关系；第三是"大属内的物种"与"大属内的物种"产生的"大量的变种或初期物种"之间的关系；第四是"大属内亲缘关系密切的物种"之间的分布关系及与其他物种的聚集关系。作者指出"特创论"这个学说无法解释上述四种关系，而自然选择学说中的变异理论，也即"物种只是特征显著而稳定的变种，而且每一物种开始时都只是变种"，物种"起先是以变种形式存在"，可以合乎逻辑地解释上述四种现象。作者列举了四个自然现象，一方面指出"特创论"与这些经验事实之间的矛盾，揭示了"特创论"的可解释性存在很大问题，另一方面通过演绎的程序，用自然选择学说中的变异理论合乎逻辑地解释已知的这些经验事实，使这些经验事实成为有力地支持自然选择学说的经验证据。

作者在第四段提出了一个重大事实——“在自然系统下所有的生物都可以划归大小不等的类群”。作者在继续运用变异理论的基础上，又运用了优胜劣汰、适者生存等理论，通过四个层次的演绎推理解释这个重大的事实的成因。这四个层次的演绎推理可以呈现为如下四组因果复句：

因为每个物种都有按照几何级数过度繁殖的趋向，而且各个物种中变异了的后代，可以通过其习性及构造的多样化去占据自然条件下多种多样的生活场所，以满足数量不断增加的需要，所以自然选择的结果就更倾向于保存物种中那些最为歧异的后代。因为自然选择的结果就更倾向于保存物种中那些最为歧异的后代，所以在长期连续的变异过程中，同一物种的不同变种间细微的特征差异趋于增大，并成为同一属内不同物种间较大的特征差异。

因为新的改良变种必将替代旧的、少有改良的中间变种，并使其绝灭，所以物种在很大程度上就成为确定的、界限分明的自然群体了。

因为每一纲中凡是属于较大种群中的优势物种，它更能产生新的优势类型，所以其结果必然是每一个大的种群在规模上更趋于增大，同时性状分异也就更大。

因为地球上的生存空间有限，不可能允许所有的种群都扩大规模，其结果就是优势类型在竞争中打败了较不占优势的类型，所以大类群在规模上不断扩大，性状分异更趋明显，并不可避免地导致大量物种的绝灭。因为大类群在规模上不断扩大，性状分异更趋明显，并不可避免地导致大量物种的绝灭，所以仅有极少数大纲在竞争中自始至终占据着优势，而其中所有的生物类型都可以排列成许多大小不一的次一级生物群。

（结论：仅有极少数大纲在竞争中自始至终占据着优势，而其中所有的生物类型都可以排列成许多大小不一的次一级生物群，换言之，在自然系统下所有的生物都可以划归大小不等的类群。）

这四组演绎推理之间构成一定的推进关系。这种推进关系表现在两个方面：一是四组演绎推理的原因之间构成推进关系；二是四组演绎推理的结果之间构成推进关系。

作者基于自然选择学说中的变异、优胜劣汰、适者生存等理论，指出物种发展的趋势与现实环境之间的冲突，即“每个物种都有按照几何级数过度繁殖的趋向”与“地球上的生存空间有限”之间的矛盾。他以时间为序，依次描述了“物种”“新的改良变种”“每一纲中凡是属于较大种群中的优势物种”“新的优势类型”的变异、竞争方式，从而勾勒出生物变异、竞争的过程。这些内容都呈现在这四组演绎推理的原因部分：

1. 每个物种都有按照几何级数过度繁殖的趋向，而且各个物种中变异了的后代，可以通过其习性及构造的多样化去占据自然条件下多种多样的生活场所，以满足数量不断增加的需要，自然选择的结果就更倾向于保存物种中那些最为歧异的后代（此处“最为歧异的后代”就是下一句的“新的改良变种”）。

2. 新的改良变种必将替代旧的、少有改良的中间变种，并使其绝灭。

3. 每一纲中凡是属于较大种群中的优势物种，它更能产生新的优势类型。

4. 优势类型在竞争中打败了较不占优势的类型。

在这四句话中，第一、三句谈“产生”，第二、四句谈“竞争”。这四句话可以分为两组。第一、二句为一组，这一组探讨“新的改良变种”的产生及其与“旧的、少有改良的中间变种”之间的竞争。第三、四句为一组，这一组探讨每一纲中凡是属于较大种群中的“优势类型”的产生及其与“较不占优势的类型”之间的竞争。从种群的规模意义上看，第二组比第一组推进一层。这两组分别可以用类似顶针的修辞格的句子连缀起来，表述如下：

每个物种都有按照几何级数过度繁殖的趋向，而且各个物种中变异了的后代，可以通过其习性及构造的多样化去占据自然条件下多种多样的生活场所，以满足数量不断增加的需要，自然选择的结果就更倾向于保存物种中那些最为歧异的后代。新的改良变种必将替代旧的、少有改良的中间变种，并使其绝灭。

每一纲中凡是属于较大种群中的优势物种，它更能产生新的优势类型。优势类型在竞争中打败了较不占优势的类型。

作者又分别推导出四个层次的变异、竞争方式所产生的结果。这四个结果都指向物种间的性状差异加大、优势物种的规模扩大。这四个结果之间又构成一定的递进性，也即物种间性状差异不断加大、优势种群规模不断扩大。作者借助这一组存在递进关系的结果最终推导出“在自然系统下所有的生物都可以划归大小不等的类群”这一重大事实。这一推导过程具体如下：

在长期连续的变异过程中，同一物种的不同变种间细微的特征差异趋于增大，并成为同一属内不同物种间较大的特征差异。

物种在很大程度上就成为确定的、界限分明的自然群体了。

其结果必然是每一个大的种群在规模上更趋于增大，同时性状分异也就更大。

大类群在规模上不断扩大，性状分异更趋明显，并不可避免地导致大量物种的绝灭。

结论：在自然系统下所有的生物都可以划归大小不等的类群。

作者提出“在自然系统下所有的生物都可以划归大小不等的类群”这一重大事实，一方面指出“特创论”与这一重大事实之间的矛盾，再次揭示了“特创论”的可解释性存在很大问题，另一方面基于自然选择学说，通过四个层次的演绎推理，描述了物种循序渐进的演化过程，推导出物种间性状差异加大、优势种群规模不断扩大的演进过程，合理地解释了“在自然系统下所有的生物都可以划归大小不等的类群”这一重大事实，使这一重大事实成为有力支持自然选择学说的第二组经验证据。

作者在第五段指出了一个现象——“自然界是吝于重大革新但奢于微小变异的”，并在第六段列举了一组奇怪的事实——“一种像啄木鸟形态的鸟却在地面上捕食昆虫……具有适合海雀生活的习性和构造”。作者这次论证引用的预设理论不仅仅有前面提到的“变异”“优胜劣汰”“适者生存”，还增加了“微小、连续”，原文的表述是“自然选择仅通过对微小、连续且有益变异的逐步积累而产生作用”。作者基于这些理论展开了两次演绎推理，分别解释了第五段指出的现象的成因与第六段列举的一组奇怪事实的成因，可以表述为如下两组因果复句：

因为自然选择仅通过对微小、连续且有益变异的逐步积累而产生作用，所以它不会导致巨大的突变，而只能按照短小而缓慢的步骤进行，换言之，自然界是吝于重大革新但奢于微小变异的。

因为自然选择仅通过对微小、连续且有益变异的逐步积累而产生作用，而每一个物种总是力求扩大其个体数目，所以自然选择总是要求缓慢变异的后代去努力适应那些自然界中未被占据或尚未占尽的地盘。

作者列举了第三组经验证据，推翻了“特创论”，支持了自然选择学说。

作者在第七段提出了一个观点——“性选择给了雄性以最鲜艳的色泽、优美的体态和其他华丽的装饰”，列举了一些这方面的事实，比如鸟类、蝴蝶、花、果实，以此支持自然选择学说的合理性。他在第八段列举了大量奇怪的事实，即不少生物的构造不合情理，一方面用自然选择学说解释这些奇怪事实的成因，另一方面指出自然选择的结果也不是完美无缺的。

作者在第九段提出了三个观点，分别是：“自然在赋予同一纲中不同动物的许多本能时是采取循序渐进的方式进行的”，“边缘物种虽处于极不相同的生活条件下，但仍具有几乎相同的本能”，“某些动物的本能并不完美和易于发生错误，甚而许多本能还会使其他动物受害”。支撑前两个观点的事实分别是“我曾试图用级进原理来解释蜜蜂那令人叹为观止的建筑能力”，“南美洲热带和温带的鸫类，与我们英国的那些物种一样，要在其所筑的巢内糊上一层泥”。作者再次基于自然选择学说，运用演绎推理解释了这些观点与事实的成因，可以表述为如下一组因果复句：

因为自然选择仅通过对微小、连续且有益变异的逐步积累而产生作用，所以自然在赋予同一纲中不同动物的许多本能时是采取循序渐进的方式进行的。

因为同属内的所有物种都是从一个共同祖先而来，并且继承了很多共同的性状，所以边缘物种虽处于极不相同的生活条件下，但仍具有几乎相同的本能。

因为本能是通过自然选择而缓慢获得的，所以某些动物的本能并不完美和易于发生错误，甚而许多本能还会使其他动物受害。

作者在第十段引用自然选择学说中“物种只是特别明显而稳定的变种”这一观点，合理地解释了杂交动物酷似其父母的事实，以此批驳了“特创论”，支持了自然选择学说。

作者在第十一段列举的事实指向地质记录所提供的关于古生物与现生生物之间的关系。在讨论地质记录所提供的事实这个话题前，作者先基于自然选择学说（特别是遗传变异理论）推演出生物演化的过程：

新的物种缓慢地出现在连续的时间间隔内，而在相同时段内不同类群的变化量是很不相同的。物种和整个类群的绝灭，在生物演化史上起着非常显著的作用，是遵循自然选择原理的必然结果，因为旧的生物类型要为新的改良类型所取代。世代链条一旦中断，单个的物种也好，成群的物种也罢，将不再重现。优势类型的逐渐散布，伴随着其后代的缓慢变异，从而使得经过一段较长的时间间隔后，生物类型好像很突然地在全世界范围内都发生了变化。

他列举了大量地质记录所提供的事实——很多事实呈现了古生物的情况，再依托自然选择学说的理论用演绎推理阐释了这些事实的成因，可以表述为如下几组因果复句（原因部分是自然选择学说的观点，结论部分是地质记录所提供的事实）：

因为各地质层中的化石（遗骸）处于世系链的中间，所以各地质层中的化石，其性状在某种程度上，介于其上下地层的化石之间。

因为现生生物与绝灭生物来源于共同祖先，所以一切绝灭了的生物可以与所有现生生物一样进行分类。

因为生物在漫长的演化和变异历程中，通常其性状都随之发生了分异，所以那些比较古老的类型或每一生物群的早期祖先类型，在分类谱系上常或多或少地处于各现生类群之间的位置。

因为在生存竞争中，新的改良类型征服了较老的、较少改良的类型，它们的器官也更为特化以适应不同的功能，所以，总的来说，现生类型的组织结构要较古代类型更为高级。

因为某些类型在生物演化的各个阶段中需要更好地适应新的、退化的生活习性，所以它们在体制上发生了退化。

因为在同一地区，现存的和绝灭的类型通过世系关系紧密地联系在一起，所以同一大陆上的近缘类型能长期共存在一起。

第一个事实指出灭绝的古生物与现生生物之间有谱系上的关联。基于谱系关联这个事实，第二个事实指出灭绝的古生物与现生生物一样可以进行分类。基于分类这个事实，第三个事实呈现出灭绝的古生物与现生生物之间在谱系上的位置分布。基于谱系上位置的分布这个事实，第四、五组事实呈现了生物演化中的进化与退化现象（以进化为主）。基于进化、退化现象，第六组事实呈现了同一大陆上的近缘类型长期共存的现象。作者在前一组事实讨论的基础上推演出后一组事实的讨论，建立了一组有逻辑框架的证据，不断深入地呈现生物演化的一些特征。作者依托自然选择学说中的遗传变异、优胜劣汰等理论及这些理论推导出的生物演化过程，合乎逻辑地解释了这一组有逻辑关联的事实，又一次验证自然选择学说的合理性——主要是论证遗传变异理论的合理性，同时还解释了生物演化的趋势——以进化为主，偶有退化现象。

作者在第十二至十四段列举的事实指向生物在地理上的分布情况。作者先是提出一个辅助性假设——生物曾发生过迁移，原文的表述是“在漫长的地质历史时期，由于气候及地理的变化，以及由于诸多偶然而未知的散布方式，生物曾发生过从某一地区向另一地区的大规模迁移”，再将“生物迁移”这个辅助性假设与遗传变异理论结合起来，用演绎推理阐释了生物在地理分布上的相关事实的成因，可以表述为如下几组因果复句（原因部分是生物迁移与自然选择学说的观点，结论部分是生物在地理分布上的事实）：

因为生物都是以共同的世代谱系相连接，并且其变异的方式也相同，所以生物在整个地质地理、时空分布上呈现着明显的平行现象。

因为每一大纲中的大多数生物是同一祖先和早期迁入者的后代，所以在同一块大陆上，在极为不同的条件下，在炎热和寒冷的环境中，在高山和低地，在沙漠与沼泽，每一大纲中的大多数生物是有明显联系的。

因为生物曾发生过迁徙与变异，所以在最遥远的山区，在南北温带中会有少数植物是相同的，而其他许多植物也是很相似的，同时虽然有整个热带海洋的间隔，南北温带海洋生物中仍有些也极为相似。

因为生物与生物之间的关系是一切关系中最重要的，而且，在两个地区，在不同的阶段内，从其他地区或者这两个地区之间彼此接受的迁移来的生物的比例也是不同的，所以虽然两个地区具有适于同一物种生活的相同的自然条件，但如果两个地区长期隔离的话，它们之间的生物存在极大的差异。

因为生物曾发生过迁徙与变异，所以海岛上有能飞越海洋的动物的新的特殊类型存在，但却没有发现任何陆生哺乳动物。

因为生物曾发生过迁徙与变异，所以在任何两个地区若存在着亲缘关系很近的、有代表性的物种，就暗示着相同的祖先类型曾经居住在这两个地区；无论在什么地方，若有亲缘关系密切的物种栖息在两个地区，必然还会在那里发现这两个地区所共有的物种；无论在什么地方，若有许多亲缘关系密切的特征性物种出现，那么属于同一类群的一些可疑类型和变种也同样会在那里出现；各个地区的生物，必然与其最邻近的迁徙源区的生物有关。

第一个事实指出生物在整个地质地理、时空分布上有联系。第二个事实指出每一大纲中的大多数生物在空间分布上有联系，第一个事实包含第二个事实。

第三个事实指出许多植物、海洋生物在有空间间隔的条件下依然有联系。第二个事实包含第三个事实。第四个事实指出虽然两个地区具有适于同一物种生活的相同的自然条件，但如果两个地区长期隔离的情况下，它们之间的许多生物有联系但又有很大差异。第三个事实包含第四个事实。第五个事实指出在被海洋隔离的海岛上动物的分布情况。第四个事实包含第五个事实。后一个事实是前一个事实的子集，讨论的范畴依次收敛，这又构成了一组有逻辑关联的事实。而第六个事实是在前文事实的基础上所做的一组物种之间的相关性推理。作者依托迁移观点和遗传变异理论合乎逻辑地解释了这一组有逻辑关联的事实，批驳了“特创论”存在的问题，又一次验证了自然选择学说的合理性——主要是论证遗传变异理论的合理性，同时还解释了生物地理分布有一定的联系。

假说是关于事物现象的因果性或规律性的假定性解释，它是用来回答在事实基础上提出的问题，并且是可以经由事实进一步检验的。假说是一种重要的科学方法，在科学研究和探索中发挥着关键作用，通过假说，科学家可以推测未知的现象或机制，并指导实验设计以验证这些推测。

然而，假说不是绝对正确的，它需要不断地接受实践的验证和修正，需要经过严格的评估和讨论，以确保其科学性和可靠性。一个假说的相关论点需要应用科学理论进行论证，借助科学理论的论证是检验假说的第一种方法。一个假说要能对广泛的已知事实做出系统而综合的解释，这既是表明这个假说有很强的解释性，也是表明这个假说得到了大量系统的事实的支持，寻求广泛经验证据的支持是检验假说的第二种方法。一个假说还必须尽可能地预测未知的新事实，如果它的预测在实践的验证中是成功的，那它就得到了高强度的确证，这既是表明这个假说具有很大的启发性，也是表明这个假说经得起严格的检验，验证预测的未知事实是检验假说的第三种方法。

《自然选择的证明》是《物种起源·综述和结论》的节选。在这部分，作者主要采用了第二种方法。他列举了大量事实，先破后立，即先用这些事实批驳“特创论”的谬误，再以自然选择学说为依据，用演绎推理解释这些事实的成因，使这些事实成为支持自己学说的证据。为了进一步提升论证的有效性，作者还建立了这些事实之间的逻辑关系。第三至八段列举的观点与事实主要集中在生物的身体构造，而第九段则推进一层，转向神奇的本能；作者在第三至十段列举的观点与事实主要集中在现生生物，而第十一段则推进一层，列举的事实转向地质记录所提供的关于古生物与现生生物之间关系；第十一段列举的事实主要是地质记录所提供的关于古生物与现生生物之间关系，是从时间维度上论证遗传变异理论的合理性，第十二段列举的事实主要是生物在地理上的分布情况，第十二段是在第十一段基础上从时间与空间相结合的维度论证遗传变异理论的合理性。从整体上看，这些事实之间的关系是逐层推进的，从“外”而“内”，从“现生生物”到“现生生物与古生物的关系”，从“时间意义上生物之间的联系”到“时空意义上生物之间的联系”，作者建构这些事实之间的逻辑框架，一方面是为了系统而综合地解释这些事实，展现自己学说的极强解释性，另一方面也表明自己的学说得到了大量系统的事实证据的支持。作者的这种努力不仅体现在行文的整体结构上，还体现在行文的局部结构上。比如第三至六段就可以分为三个层次：第三段为第一层次，列举变异的相关事实，论证变异的观点；第四段为第二层次，列举分类（变异的结果）的相关事实，论证变异及竞争的观点；第五、六段为第三层次，列举变异缓慢（变异的过程）的相关事实，论证学说中的变异、竞争及微小缓慢的观点。三个层次之间构成了一定的推进性。又如每一段段内列举的事实之间也呈现为一种逻辑的推进性，特别是第四、十一段以及第十二至十四段。作者设定这样的论证思路不仅增强了证明的有效性，也很好地建构起自己学说的理论框架，即有逻辑地阐释了自然选择学说的重要观点——遗传变异、优胜劣汰、适者生存、微小缓慢等，有条理地从时间角度呈现了生物的演化历史（进化为主）与从空间角度呈现了生物的地理分布（普遍联系）。

系统而综合地解释大量的已知事实，这不过是对假说的“一般检验”，因为这些大量的系统的事实是研究者预先选择和安排的，研究者本来就是为了说明这些事实而特意构想出某种假说。因此，证明假说还需要“严格检验”，即检验假说预测的未知事实，如果这个假说预测的未知事实越来越多地被证实，就表明这个假说越接近于客观实际，也越具有科学性。当然，教材中这篇节选的文章没有在预测未知事实上花很多笔墨，但是从自然选择学说中推演出的很多未知事实已经在后来的生物学研究中得到证实。迄今为止，达尔文的自然选择学说已经成为一个具有划时代意义的科学理论。而在当时盛行“特创论”的西方，达尔文能提出这一假说，还是需要很大的勇气的。

后 记

阅读能力是在大量有效的阅读活动中培养起来的。这类阅读活动是一种有目的的学习活动。而这些阅读目的的达成需要掌握必要的思考程序，也即掌握“怎么读”的思考方法。这类思考程序（或方法）就是阅读策略。阅读能力强的人往往表现为能灵活地运用阅读策略完成阅读任务，达到阅读目的。阅读策略的学习是提高阅读能力的关键。

这本书与《沿波讨源——高中古诗文解读举隅》是姊妹篇。《沿波讨源》在前，《披文入情》在后。这两本书的写作都秉持了上面所说的阅读理念。《披文入情》的每一篇文章都构建了一个解读文本的思考程序（或过程），呈现不同体裁的现代文的阅读策略，旨在探索文本解读的路径。

在这条探索之路上，我得到很多师长的指导与帮助，其中一位是徐沂凯老师。初见徐老师是在2007年的春天。那时，我的同事冯颖老师实习期满，执教汇报课《送考》(丰子恺的作品)，普陀区教研员陈非老师与几名外校实习老师听课。徐沂凯老师那时已退休，随陈老师一起来听课。课后，徐老师谈了对这篇课文的解读，我很受启发；他主动给了联系电话。在此之前，我跟从范庆沩老师备了不少公开课，学了不少文本解读方法，还觉不够；范老师一向主张博采众长，他提议我要向徐老师学习。于是，我写了几篇文本解读的文章，呈徐沂凯老师审阅。徐老师逐一修改，批注密密麻麻。不久，他与我、冯颖又面谈了一次。自此以后，我坚持写文本解读的文章，每积累三五篇之后，就请教我的两位老师。范庆沩老师住我家楼上，我总是当面讨教；徐沂凯老师住得远，我常托一位同事（他的邻居）将文稿带给他。每次打开回信，总会看到文稿上密密麻麻的批注，信封里常附一些资料；他还常在电话里与我聊文本解读的事。如此持续了四年。这些文稿最终结集成书，书名是《课文可以这样读》，这是我在两位前辈指导下写的第一本书。2011 年秋，我到市教研室工作，每遇到文本解读上的困惑，依然会在电话里请教徐老师。每逢寒暑假，我都会去看望他，喜欢听他聊天，文史典故，天南海北，纵论古今，臧否人物。在多年的交往中，我发现他有两个绝活，一是看文本，二是写文章。他看文本，一是快，二是深，目光独到，鞭辟入里，见人之所未见，发人之所未发。他文笔老辣，一挥而就，他说自己年轻时一天能写一万字，不用打草稿，直接上文稿纸。他八十岁时，他的儿子、儿媳为了方便照顾他与师母，就劝两位老人搬到自己家附近居住。搬家之前，他送了冯颖与我很多藏书。2020 年，我写了一本《探索文本解读的路径》，2024 年，我写了一本《沿波讨源》，每次拿到新书，徐老师总会肯定几句。撰写这本书时，遇到几个难点，我向他讨教，他仍是悉心指导。十七年来，跟从徐老师进修业务，学到很多文本解读的方法，学到写文章的一些要诀，感受到一位老教师的襟怀——淡泊名利，奖掖后辈。这本新书扉页后的献词，是一个学生的谢意。

谢谢上海辞书出版社的周燕老师，她是这本书的责编，核对引文、修改文字甚是仔细。谢谢上海辞书出版社的陈闵梁老师、霍丽丽老师，他们促成了这本书的出版，也为这本书的审校付出了很多努力。谢谢我的妻子陈继东，她一如既往给予支持，第四次陪伴我完成了一本书稿。

曹 刚

图书在版编目(CIP)数据

披文入情 : 高中现代文解读举隅 / 曹刚著. 上海 : 上海辞书出版社, 2024.(2025.1重印)-- ISBN 978-7-5326-6257-9

Ⅰ. G633.303

中国国家版本馆 CIP 数据核字第 20245GN812 号

披文入情
——高中现代文解读举隅

曹刚　著

责任编辑　周　燕
装帧设计　王轶颀
责任印制　曹洪玲

出版发行　上海世纪出版集团
上海辞书出版社®(www.cishu.com.cn)
地　　址　上海市闵行区号景路 159 弄 B 座(邮政编码: 201101)
印　　刷　上海展强印刷有限公司
开　　本　720 毫米×1000 毫米　1/16
印　　张　15
字　　数　227 000
版　　次　2024 年 10 月第 1 版　2025 年 1 月第 2 次印刷
书　　号　ISBN 978-7-5326-6257-9/G・1147
定　　价　58.00 元